Friedrich Balcke

DAS OGHAM-BUCH
DER BIBLISCHEN GESCHICHTEN

DAS OGHAM BUCH DER BIBLISCHEN GESCHICHTEN

DIE GESCHICHTEN DES ALTEN TESTAMENTES
NACHERZÄHLT VON
FRIEDRICH BALCKE

MIT ILLUSTRATIONEN UND BUCHSCHMUCK
NACH SCHERENSCHNITTEN VON
SONIA BRANDES

OGHAM VERLAG

Gesamtherstellung: Freiburger Graphische Betriebe
ISBN 3-7235-0984-3

INHALTSVERZEICHNIS

VON DER SCHÖPFUNG BIS ZU HIOB

DIE ERZVÄTER

MOSES

DIE RICHTER

DIE KÖNIGE

ELIAS UND ELISA

DIE PROPHETEN

AUS DEN APOKRYPHEN

VON DER SCHÖPFUNG BIS ZU HIOB

DIE SCHÖPFUNG DER WELT

Im Urbeginne schuf Gott Himmel und Erde. Und die Erde war wüst und leer, und Finsternis lag auf der Urflut. Der Geist Gottes schwebte über den Wassern.

Und Gott sprach: Es werde Licht. Und es ward Licht. Und Gott sah, daß das Licht gut war. Und Gott schied das Licht von der Finsternis. Und Gott nannte das Licht Tag, und die Finsternis nannte er Nacht. Und Abend wurde es und Morgen wurde es; der erste Tag.

Und Gott sprach: Es werde ein Gewölbe inmitten der Wasser. So geschah es. Gott schied das Wasser unter dem Gewölbe von dem Wasser über dem Gewölbe. Gott nannte das Gewölbe Himmel. Und Abend wurde es und Morgen wurde es, der zweite Tag.

Und Gott sprach: Das Wasser unter dem Himmel sammle sich an einem Ort, damit das Trockene sichtbar werde. So geschah es. Gott nannte das Trockene Land und das zusammengeflutete Wasser Meer. Gott sah, daß es gut war. Und Gott ließ sprossen auf der Erde junges Grün: Kraut, das Samen trug, und Bäume mit Früchten und Samen. So geschah es. Und Gott sah, daß es gut war. Und Abend wurde es und Morgen wurde es; der dritte Tag.

Und Gott sprach: Es werden Lichter am Gewölbe des Himmels. Die scheiden Tag und Nacht und geben Zeichen, Zeiten, Tage und Jahre. Und Gott machte zwei große Lichter; ein großes Licht, das den Tag beherrsche, und ein kleines Licht, das die Nacht beherrsche, dazu auch Sterne. Und Gott sah, daß es gut war. Und Abend wurde es und Morgen wurde es; der vierte Tag.

Und Gott sprach: Das Wasser wimmle von Fischen, und in der Luft sollen Vögel fliegen. So geschah es. Und Gott sah, daß es gut war. Er segnete die Tiere im Wasser und die Tiere in der Luft, auf daß sie sich vermehrten. Und Abend wurde es und Morgen wurde es; der fünfte Tag.

Und Gott sprach: Die Erde bringe hervor lebendige Tiere aller Art: Vieh, kriechende Tiere und Wild des Feldes. So geschah es. Und Gott sah, daß es gut war. Und Gott schuf den Menschen ihm zum Bilde, zum Bilde Gottes schuf er ihn und schuf einen Mann und eine Frau. Gott segnete sie und sprach: Seid fruchtbar, mehret euch und macht euch die Erde untertan! Herrscht über alles Getier! Alles Kraut und die fruchtbaren Bäume seien eure Speise. Und Gott sah, daß alles, was er gemacht hatte, sehr gut war. Und Abend wurde es und Morgen wurde es; der sechste Tag.

Der Himmel und die Erde wurden so vollendet, und Gott ruhte am siebten Tage von allen seinen Werken. Er segnete den siebten Tag und heiligte ihn.

DIE ERSCHAFFUNG DES MENSCHEN

Gott, der Herr, schuf den Menschen aus einem Erdenkloß und hauchte ihm den Lebensodem in die Nase. So wurde der Mensch lebendig. Und Gott, der Herr, pflanzte einen Garten. Das war das Paradies. In dem Garten wuchsen allerlei schöne Bäume mit guten und wohlschmeckenden Früchten. Und in der Mitte des Gartens wuchsen der Baum des Lebens und der Baum der Erkenntnis von Gut und Böse. In dem Garten entsprang ein Strom, der sich in vier Arme teilte, den Garten zu bewässern. Und Gott, der Herr, setzte den Menschen in das Paradies und sprach: «Du darfst Früchte von allen Bäumen im Garten essen, nur vom Baum der Erkenntnis des Bösen und Guten darfst du nicht essen. Sobald du davon issest, mußt du sterben.» Und Gott, der Herr, schuf aus Erde alle Tiere des Feldes und alle Tiere der Lüfte und brachte sie zu dem Menschen, damit er nicht allein sei. Und der Mensch gab allen Tieren ihren Namen. Aber keines der Tiere paßte zu ihm. Da ließ Gott, der Herr, ihn in einen tiefen Schlaf fallen und nahm ihm eine Rippe heraus und schuf daraus ein Weib und führte es zu dem Menschen.

Die Schöpfung der Welt

DER SÜNDENFALL

Die Schlange war listiger als alle Tiere des Feldes, die Gott erschaffen hatte. Sie sprach zu dem Weibe: «Warum eßt ihr nicht von dem Baum, der in der Mitte steht?» Das Weib antwortete: «Gott hat gesagt, sobald wir davon essen, müssen wir sterben.» Antwortete die Schlange: «Das werdet ihr nicht. Sondern es werden euch die Augen aufgetan, und ihr werdet sein wie Gott und werdet wissen, was gut und bös ist.» Da blickte das Weib zu der lieblichen und begehrenswerten Frucht. Es nahm den Apfel, biß hinein und aß davon. Dann gab es auch ihrem Manne, und auch der aß. Da wurden ihre Augen aufgetan, und sie erkannten, daß sie nackt waren. Sie schämten sich und machten sich Schurze aus Feigenblättern.

Gott, der Herr, wandelte in der Abendkühle im Garten. Da verbarg sich Adam mit seinem Weibe. Aber der Herr rief ihn zu sich und sprach: «Wo bist du?» Adam antwortete: «Ich hörte dich im Garten und fürchtete mich, weil ich nackt bin und da verbarg ich mich.» Gott sprach: «Woher weißt du, daß du nackt bist? Hast du etwa von dem verbotenen Baum gegessen?» Adam antwortete: «Das Weib, das du mir gegeben hast, hat mir von dem Baume gegeben, da habe ich gegessen.» Da sprach Gott zu dem Weibe: «Was hast du getan?» Das Weib antwortete: «Die Schlange hat mich dazu verführt. So habe ich von dem Apfel gegessen.» Gott sprach zu der Schlange: «Weil du das getan hast, bist du verflucht von allen Tieren des Feldes. Auf deinem Bauch sollst du kriechen und Staub fressen dein Leben lang. Feindschaft soll sein zwischen dir und dem Weibe und ihrem Nachwuchs. Er wird dir auf den Kopf treten und du wirst ihn in eine Ferse stechen.» Zu dem Weibe sprach Gott, der Herr: «Mit Schmerzen sollst du Kinder gebären. Nach deinem Manne sollst du verlangen und er soll dein Herr sein.» Und zu dem Manne, zu Adam sprach der Herr: «Weil du auf das Weib gehört und von der verbotenen Frucht gegessen hast, so ist um deinetwillen der Acker ver-

Adam und Eva im Paradies

flucht. Mit Mühsal sollst du dich von ihm ernähren. Dornen und Disteln soll er dir tragen. Im Schweiße deines Angesichtes sollst du dein Brot essen, bis du wieder zur Erde kehrst, von der du genommen bist; denn Erde bist du, und zur Erde mußt du zurück.»

Adam nannte sein Weib Eva, denn sie wurde die Mutter aller Lebendigen. Gott, der Herr, legte Adam und Eva Felle um, ihre Blöße zu decken, und er sprach: «Siehe, der Mensch ist geworden wie unsereiner, denn er weiß, was gut und böse ist. Er soll aber mit seiner Hand nicht nach dem Baume des Lebens greifen. Er würde sonst ewig leben.» So vertrieb Gott Adam und Eva aus dem Paradies. Die Cherubime des Herrn bewachten den Garten mit flammenden Schwertern. Sie hüteten den Weg zum Baume des Lebens.

KAIN UND ABEL

Adam wohnte Eva bei. Sie wurde schwanger und gebar einen Sohn. Der hieß Kain. Eva sprach: «Durch die Hilfe des Herrn gewann ich einen Sohn.»

Danach gebar sie Abel, den jüngeren Bruder. Abel war ein Schäfer, Kain ein Ackerbauer. Kain brachte die Früchte des Ackers dem Herrn zum Opfer, Abel dagegen opferte dem Herrn die Erstlinge seiner Schafe. In Gnade schaute der Herr auf Abels Opfer und nahm es an. Der Rauch des Brandopfers stieg senkrecht zum Himmel empor. Auf Kains Opfer schaute der Herr aber nicht. Der Rauch kroch am Boden entlang.

Darüber geriet Kain in Neid und Finsternis. Der Herr sprach zu ihm: «Warum bist du voller Neid? Warum blickst du so finster? Bist du fromm, so schaue ich in Gnade auf dich, bist du es aber nicht, so lauert die Sünde vor der Tür. Über die sollst du herrschen.»

Aber als Kain und Abel sich auf dem Felde trafen, erhob sich Kain wider seinen Bruder und schlug ihn tot. Da sprach der Herr zu Kain: «Wo ist dein Bruder Abel?» Kain antwortete: «Soll ich meines Bruders Hüter sein?» Der Herr aber sprach: «Was hast du getan? Das Blut deines Bruders schreit zu mir empor. Verflucht bist du, verbannt von dem Acker, der deines Bruders Blut empfangen hat. Wenn du ihn bebauen willst, soll er dir fortan nichts mehr geben. Auf Erden sollst du unstet und flüchtig sein.» Kain geriet in Furcht, denn er war nun vogelfrei, und jedermann konnte ihn töten. Jedoch der Herr gebot: «Wer immer Kain totschlägt, an dem wird es siebenfältig gerächt.» Darauf versah er Kain mit einem Zeichen, daß ihn keiner totschlüge. Kain floh fort in ein fremdes Land.

Zu den Nachfahren Kains gehörte Henoch, der die erste Stadt erbaute, Jabal, der zuerst Zelte errichtete und Viehherden züchtete, Jubal, der als erster Zither und Schalmei spielte, und Thubal-Kain, der erste Schmied. Eva gebar dem Adam noch einen dritten Sohn. Sie nannten ihn Seth.

NOAH UND DIE SINTFLUT

Die Zahl der Menschen auf der Erde wuchs. Ihre Töchter gefielen den Göttersöhnen, und sie nahmen sie sich zu Frauen. Die Kinder, die daraus entsprossen, wuchsen zu Riesen heran, den Recken der Vorzeit. Zu der Zeit bestimmte der Herr die Lebenszeit der Menschen auf hundertzwanzig Jahre. Aber die Menschen verloren in ihrer Bosheit alles Maß, so daß es den Herrn reute, daß er sie erschaffen hatte. Deshalb beschloß er, sie durch eine Wasserflut zu vertilgen mit allem Vieh, allen Tieren auf dem Lande und den Vögeln des Himmels.

Nur Noah, denn er war fromm und ohne Fehl, fand Gnade vor den Augen des Herrn. Er war der Nachfahre von Seth, dem dritten Sohne Adams. Der Herr gab Noah Weisung, einen Kasten, die Arche, zu bauen. Weisung gab er ihm bis ins kleinste. Noah gehorchte dem Herrn. Er baute die Arche aus Fichtenholz mit lauter Zellen und dichtete alle Ritzen mit Pech. Die Länge der Arche betrug dreihundert Ellen, die Breite fünfzig Ellen, die Höhe dreißig Ellen. Sie besaß oben ein Fenster und hatte drei Stockwerke, ein unteres, ein mittleres und ein oberes. Die Tür war an der Seite. Dann

Noah und die Sintflut

brachte Noah von jeder Art Tiere ein Paar in die Arche, von den reinen Tieren je sieben Paare. All das hatte der Herr so befohlen. Dann ging Noah mit seinen Söhnen, seinem Weibe und seinen Schwiegertöchtern in die Arche, verschloß sie von innen und verstrich sie mit Pech.

Nach sieben Tagen kam das Wasser der Sintflut über die Erde. Alle Brunnen brachen auf und alle Fenster des Himmels öffneten sich. Es regnete vierzig Tage und vierzig Nächte lang. Die Wasser schwollen und hoben die Arche an, so daß sie hoch über der Erde schwamm. Und die ganze Erde wurde mit Wasser bedeckt. So hoch stieg das Wasser, daß alle Berge bedeckt wurden, auch die höchsten Gipfel. Alle Tiere, die auf dem Lande im Trockenen lebten, ertranken. Keines blieb am Leben, nicht das Wild noch die Vögel. Und auch alle Menschen ertranken. Nur Noah mit den Seinen blieb übrig und alle Tiere der Arche. Hundertfünfzig Tag blieb das Wasser auf der Erde stehen.

Danach ließ Gott einen heißen Wind über die Erde wehen. Die Wasser sanken. Die Brunnen der Erde und die Fenster des Himmels schlossen sich. So verliefen sich die Wasser. Die Arche aber saß fest auf dem Berge Ararat. Die Spitzen der Berge wurden sichtbar. Da öffnete Noah die Luke und ließ den Raben herausfliegen. Der flog hin und her, bis die Wasser auf der Erde vertrocknet waren, kehrte aber nicht zurück. Noah wartete sieben Tage. Dann ließ er eine Taube fliegen. Als diese nichts fand, wo sie sich niedersetzen konnte, kehrte sie zurück. Die Erde war noch mit Wasser bedeckt. Noah holte die Taube wieder mit der Hand zu sich in die Arche. Nach weiteren sieben Tagen ließ er die Taube wieder aus der Arche fliegen. Sie kam am Abend zurück und trug einen Ölzweig in ihrem Schnabel. Als sie Noah nach sieben Tagen wiederum ausfliegen ließ, kehrte sie nicht zurück. Nun öffnete Noah das Dach und sah, daß die Erde trocken war. Er verließ auf Geheiß Gottes die Arche mit all den Seinigen und allen Tieren. Er brachte Gott ein Dankopfer. Das wurde vom Herrn angenommen. Der Herr segnete Noah mit den Seinen und sprach: «Einen Bund stifte ich mit euch, einen ewigen Freundschaftsbund. Nie soll sich die Sintflut wiederholen. Solange die Erde steht, sollen nicht aufhören Saat und Ernte, Frost und Hitze, Sommer und Winter, Tag und Nacht.» Und als Zeichen des Bundes ließ Gott den Regenbogen am Himmel erscheinen.

NOAH UND DER WEINSTOCK

Noah hatte drei Söhne: Sem, Ham und Japhet. Er bestellte den Acker, säte und erntete und pflanzte als erster Weinreben. Er legte sich einen Weinberg an. Als er von seinem Weine trank, wurde er davon berauscht und lag entblößt in seinem Zelt. Als dies sein Sohn Ham sah, sagte er es seinen beiden Brüdern. Die bedeckten ihres Vaters Blöße und kehrten ihr Angesicht dabei weg. Als Noah aus dem Rausch erwachte und erfuhr, was Ham getan hatte, verfluchte er ihn. Noahs Leben dauerte 950 Jahre.

DER TURMBAU ZU BABEL

Ursprünglich sprachen alle Menschen einerlei Zunge und Sprache. Sie fürchteten, sie würden über die ganze Erde in alle Länder verstreut. Deshalb sprachen sie zueinander: «Laßt uns einen Turm bauen, der bis in den Himmel reicht, uns zum Ruhme.» Nun formten sie aus Lehm zahllose Ziegel und brannten sie. Damit bauten sie den Turm immer höher und höher. Als Mörtel nahmen sie braunen und schwarzen Asphalt. So erhob sich ein Stockwerk über das andere. Die Mauern wurden mit farbigen Kacheln verkleidet. Jedes Stockwerk erhielt eine eigene Farbe: Schwarz, Erdbraun, Rot, Gelb, Weiß, Blau und Grün. Und so sollte es immer fortgehen bis in den Himmel. So gleißte und glänzte der farbige Turm im Sonnenlicht, einem riesigen Würfel gleich. Und mit Bildern waren die Wände ausgeschmückt, halb Stier, halb Mensch, versehen mit Flügeln. So entfaltete der Turm eine ungeheure Pracht.

Der Turmbau zu Babel

Als der Herr sah, daß die Menschen mit dem Turm in den Himmel dringen wollten, fuhr er vom Himmel herab und verwirrte ihre Sprache, so daß sie nun mit vielen Zungen redeten und keiner mehr den anderen verstand. Daraufhin trennten und verstreuten sie sich über die ganze Erde und konnten den Turm deshalb nicht fertig bauen. Daher rührt der Name Babel, was Verwirrung bedeutet.

HIOB

Hiob war ein frommer und gottesfürchtiger Mann. Er war allem Bösen feind und hatte sieben Söhne und drei Töchter. Dem Herrn brachte er Brandopfer, diente ihm in Treue und aus ganzem Herzen. Dabei war er reich. Er besaß siebentausend Schafe, dreitausend Kamele, fünfhundert Joch Rinder, fünfhundert Eselinnen, dazu eine große Schar von Knechten und Mägden.

Nun geschah es, daß die Gottessöhne vor den Herrn traten. Unter sie hatte sich auch der Satan gemischt. Der Herr sprach: «Wo kommst du her?» Antwortete der Satan: «Auf der Erde bin ich umhergestreift und gewandert.» Der Herr sprach zum Satan: «Hast du auch achtgehabt auf meinen Knecht Hiob. Kein Mensch sonst auf Erden ist so fromm und gottesfürchtig wie er, fremd allem Bösen.» Antwortete wieder der Satan: «Das hat seinen Grund, daß Hiob dir so ergeben ist. Hast du selbst ihn nicht reich gemacht und die Arbeit seiner Hände gesegnet, so daß seine Herden sich im Lande ausbreiten. Aber nimm ihm all seinen Reichtum. So wird er dir ins Angesicht fluchen.» Der Herr sprach zum Satan: «Wohlan, alles was er hat, ist in deiner Hand. Nur nach ihm selbst darfst du deine Hand nicht ausstrecken.» Da eilte der Satan hinweg vom Angesichte des Herrn.

Nun geschah es, daß ein Bote dem Hiob meldete: «Die Rinder pflügten und die Eselinnen weideten. Da fielen die Feinde in das Land, raubten alle Tiere, trieben sie fort und erschlugen die Knechte mit dem Schwert. Ich allein bin entkommen, um es dir zu melden.» Wie der Bote noch redete, meldete ein zweiter Bote: «Feuer fiel vom Himmel herab und erschlug die Schafe mit den Knechten. Ich allein bin entronnen, um es dir zu melden.» Wie der Bote noch redete, kam ein dritter und meldete: «Die Feinde, die Chaldäer, überfielen deine Kamele, trieben sie fort und töteten deine Knechte mit der Schärfe des Schwertes. Ich allein entrann, um es dir zu melden.» Wie der Bote noch redete, kam ein vierter und meldete: «Deine Söhne und Töchter aßen und tranken im Haus deines erstgeborenen Sohnes. Da brach ein starker Sturm von der Wüste herein, packte das Haus an allen vier Ecken, daß es einstürzte und alle getötet wurden. Ich allein bin entkommen, es dir zu melden.» Hiob stand auf, zerriß sein Gewand und schor sein Haupt. Dann fiel er nieder zur Erde und betete laut zum Herrn: «Der Herr hat's gegeben, der Herr hat's genommen. Der Name des Herrn sei gelobt.» So sprach er kein einziges Wort wider den Herrn.

Eines Tages versammelten sich die Gottessöhne wiederum vor dem Herrn, und der Satan stand in ihrer Mitte. Der Herr sprach zu ihm: «Wo kommst du her?» Antwortete der Satan: «Ich bin auf der Erde herumgestreift und gewandert.» Der Herr sprach: «Hast du achtgehabt auf meinen Knecht Hiob? Seinesgleichen ist nicht auf Erden. Er hält fest an seiner Frömmigkeit. Du aber hast mich gegen ihn gereizt, ihn ohne Ursache zu verderben.» Antwortete der Satan: «Alles, was der Mensch hat, gibt er um sein Leben. Aber rühre sein Gebein und Fleisch an, so wird er dir ins Angesicht fluchen.» Da sprach der Herr: «Wohlan, er ist in deiner Hand! Nur sein Leben schone!»

Da eilte der Satan hinweg vom Angesicht des Herrn und schlug Hiob mit einem schlimmen Geschwür vom Scheitel bis zur Fußsohle. Hiob setzte sich mitten in die Asche und kratzte sich mit einer Scherbe Tag für Tag, Jahr für Jahr. Da sprach sein Weib zu ihm: «Was hältst du fest an deiner Frömmigkeit? Fluche Gott und stirb!» Aber Hiob wehrte dies ab und sprach: «Du Törin, das Gute nehmen wir an von Gott, warum sollten wir da nicht auch das Böse annehmen?» Er betete weiter zu Gott, sprach kein Wort wider ihn. Drei Freunde Hiobs hörten von seinem Unglück und gingen zu ihm, um ihn zu trösten. Sie erkannten ihn kaum wieder und weinten laut, und ein jeder zerriß sein Gewand. Sie setzten sich sieben Tage und sieben Nächte zu ihm, sprachen kein einziges Wort. Sie sahen, daß sein Elend sehr groß war.

Dann fingen sie an zu reden und machten Hiob bittere Vorwürfe, die ihn trafen wie Messerschnitte. Sie sprachen: «Alles Gute wird auf Erden vergolten, und wo den Menschen Leid trifft, da hat er Schuld auf sich geladen.» Demgegenüber konnte Hiob immer wieder nur seine Unschuld beteuern. So vermehrten seine Freunde noch zusätzlich sein Leid. Aber er hatte nichts Böses getan und klagte laut in seiner Verzweiflung, fing an mit Gott, dem Herrn, zu hadern. Da erschien ihm Gott, der Herr, im Sturm und sprach: «Tor, ich will dich fragen, zeige mir dein Wissen. Wo warst du, als ich die Erde gründete? Hast du jemals in deinem Leben den Morgen heraufbefohlen? Bist du bis zu den Quellen des Meeres vorgedrungen? Lagen offen vor dir die Tore des Todes? Verstehst du alles, so weit die Erde reicht?» Hiob hörte beschämt auf zu hadern und bereute es, daß er versucht hatte, mit Gottes Allmacht und Allwissenheit zu rechten. Alles widerrief er, weil er Gott mit Augen geschaut hatte.

Der Zorn des Herrn war gegen Hiobs Freunde entbrannt, weil sie zu Hiob ungerecht gewesen waren. Aber er verzieh ihnen, um seines treuen Knechtes Hiob willen. Sie brachten dem Herrn ein Brandopfer dar, und Hiob betete für seine Freunde, leistete für sie Fürbitte. Gott, der Herr, gab dem Hiob alles doppelt wieder, was er verloren hatte, all seine Habe. Er schenkte ihm auch wieder sieben Söhne und drei Töchter. Hiob lebte hiernach noch hundertvierzig Jahre und starb dann lebenssatt.

DIE ERZVÄTER

ABRAHAMS BERUFUNG

Abraham wuchs in der Stadt Ur in Chaldäa auf. Er verbrachte hier seine Kindheit und Jugend. Chaldäa lag im Zweistromland, südlich von Babel, dem persischen Golf zu. Abraham und seine ganze Verwandtschaft lebten hier. Sie führten ihren Stammbaum zurück auf Sem, einen Sohn Noahs. Hier also, wo das Hochwasser von Euphrat und Tigris im Frühjahr das Land überschwemmte, wo die Erde fast schwarz war von Fruchtbarkeit, weil sich jedes Jahr eine Schlammschicht auf dem Boden absetzte, wo das Korn reifte in reicher Fülle, wo zwar kaum Bäume, aber dafür mannshohes Schilf in riesigen Flächen wuchs, hier wurde Abraham, der Erzvater der Juden, geboren. Am Rande des fruchtbaren Landes, wie bei einem scharfen Schnitt, begannen die Steppe und die Wüste. Das Land wimmelte von Tieren verschiedenster Art. Da flüchteten vor dem Löwen die Gazellen, oder unvermutet brach er in die Viehherden. Und das Gezwitscher der Vögel erfüllte die heiße Luft des Tages. In der kalten Nacht aber funkelten die unzähligen Sterne. Ihre Schrift versuchten die Menschen zu lesen.

Abrahams Vater verließ das Land Chaldäa mit den Seinen und zog nach Nordwesten, wanderte bis zur Stadt Haran in Syrien, ließ sich dort nieder. Haran wurde so für Abraham Heimat und Vaterland. Aber so sollte es nicht bleiben. Denn Gott, der Herr, sprach eines Tages zu Abraham: «Verlaß dein Vaterland und zieh in das Land, das ich dir zeigen werde! Ich will dich segnen. Du sollst der Stammvater eines großen Volkes sein. Wer dich segnet, den will auch ich segnen, wer dir flucht, den will ich verfluchen.» Auf dies Gebot hin verließ Abraham Haran. Seine Frau Sara zog mit ihm und Lot, seines Bruders Sohn. Und all seine Habe, sein Gesinde und seine Herden führte er mit sich. Fünfundsiebzig Jahre alt war Abraham, als er aufbrach. Er kam nur langsam voran, weil er sich nach dem Gang seiner Herden richten mußte. Schließlich

Abrahams Berufung

gelangte er nach Kanaan in Palästina, das der Herr für ihn und seine Nachkommen bestimmt hatte und ihm zu eigen gab. Er wanderte durch Kanaan und hielt erst inne bei Sichem, wo die Orakel-Terebinthe stand. Sie war ein heiliger Baum, sah der Eiche ähnlich. Dort, im Schatten der weitausladenden Zweige mit ihren vielen Blättern, erschien ihm der Herr. Dort, an dieser Stelle errichtete Abraham Gott einen Altar und betete im Schatten des dunklen Baumes.

ABRAHAM IN ÄGYPTEN

Über das Land Kanaan kam eine Zeit der Dürre und Hungersnot. Um sich vor ihr zu retten, zog Abraham für eine Weile nach Ägypten. Als er nicht mehr weit von seinem Ziele war, sagte er zu seiner Frau Sara: «Ich weiß, daß du schön bist und überall Wohlgefallen erregst. Sobald dich die Ägypter sehen, werden sie dich begehren, mich töten und dich am Leben lassen. Deshalb gib dich als meine Schwester aus, damit ich am Leben bleibe.» Es kam, wie er befürchtet hatte. Die Ägypter verlangten nach Sara, seinem Weib. Der König von Ägypten, der Pharao, hörte von Saras Schönheit und Glanz, und sie mußte zu ihm kommen. Weil Abraham als Bruder galt, bekam er viel Gutes: Schafe und Rinder, Esel, Kamele und Sklaven. Doch der Herr brachte über den Pharao und sein Haus schwere Plagen um Saras willen. Der Pharao ließ Abraham rufen und sprach: «Warum hast du mir das getan? Warum hast du mir nicht gesagt, daß sie dein Weib ist? Nun habe ich sie mir zum Weib genommen. Nimm sie wieder zu dir und zieh fort.» Das tat Abraham.

ABRAHAM UND LOT

Abraham wanderte von Lagerplatz zu Lagerplatz. Immer, wenn die Tiere nicht mehr genug zu fressen fanden, wechselte er ihn. Mit ihm zog Lot, der auch viele Schafe, Rinder und Zelte besaß. Beiden zusammen war aber so viel Vieh zu eigen, daß das Land die vielen Tiere nicht zu ernähren vermochte. Oft gerieten die Hirten der Weideplätze wegen in Streit. Da sprach Abraham: «Steht uns nicht das ganze Land offen? Wir wollen uns trennen. Willst du zur Linken, so gehe ich zur Rechten. Willst du zur Rechten, so gehe ich zur Linken. Wir wollen einander nicht streiten. Wir sind doch Brüder.» Da wählte Lot die fruchtbarere, wasserreiche Jordanaue zur Rechten. Dann trennten sie sich.

Lot zog mit seinen Zelten bis dicht zu der Stadt Sodom. In Sodom lebten Sünder und Frevler. Es wuchs dort ein Apfelbaum. Seine abstoßenden Früchte waren fleischlos, schwülstig und dicht behaart. Der Saft der Pflanze war giftig. Und nicht anders wie diese Äpfel waren auch die Bewohner der Stadt. Abraham blieb in Kanaan, dem Land der Verheißung. Er durchwanderte das Land in der Länge und in der Breite. Schließlich ließ er sich nieder bei der Terebinthe in Hebron, die dem Manne Mamre gehörte. Dort baute er einen Altar. Er betete im Dunkel des Baumes zu Gott, dem Herrn. Nicht lange danach fielen Feinde in das Land der Städte Sodom und Gomorrha, brandschatzten alles und führten die Habe mit sich fort. Die Könige der beiden Städte flohen mit ihren Leuten in wilder Hast. Aber die meisten von ihnen, des Weges unkundig, ertranken in den vielen, oft nicht erkennbaren Asphaltgruben, die in der Nähe der Städte lagen. In dem zähen Brei gab es kein Entrinnen. Die Feinde ergriffen auch Lot und alle die Seinen und nahmen sie gefangen. Als Abraham hiervon hörte, bewaffnete er dreihundertachtzehn Mann, verfolgte die Feinde, überfiel sie in der Nacht und nahm ihnen alles fort, was sie geraubt hatten. Lot und die Seinen

Abraham und Lot

befreite er. Den Leuten von Sodom gab er ihre Habe wieder, denn er wollte nichts mit ihnen und mit dem, was in ihren Händen gewesen war, zu tun haben. Auf dem Rückweg begegnete er Melchisedek, dem König von Salem. Melchisedek war der Priester des höchsten Gottes. Er trug Wein und Brot als Opfergabe mit sich. Die Weinreben und das Korn reiften im Sonnenlicht und waren von ihm durchdrungen. Daraus also waren die Opfergaben für den höchsten Gott. Melchisedek segnete Abraham und sein Tun. Abraham opferte ihm ein Zehntel all seiner Habe.

HAGAR UND ISMAEL

Abraham und Sara hatten keine Kinder und waren beide bereits betagt. Schließlich nahm Abraham, auf Saras Rat, eine Magd als Weib zu sich. Sie hieß Hagar und wurde von Abraham schwanger. Sie blickte deshalb hochmütig auf ihre Herrin herab. Daraufhin ging Sara hart mit ihr um. Deshalb floh Hagar in die Wüste zu einer Wasserquelle. Dort tröstete sie ein Engel, und sie gebar dem siebenundachtzigjährigen Abraham einen Sohn. Der nannte ihn Ismael. Der Herr aber sprach zu Abraham: «Sara wird dir einen Sohn gebären, den sollst du Isaak nennen. Seine Nachkommen werden so zahlreich sein wie die Sterne am Himmel. Einen Bund schließe ich mit dir, und sein Zeichen soll sein, daß jedes Knäblein, wenn es acht Tage alt ist, beschnitten wird.»

ABRAHAMS GASTFREUNDSCHAFT

Der Herr erschien Abraham zusammen mit zwei Engeln, als der unter der Terebinthe Mamres am Eingang seines Zeltes saß. Es war die Mittagsstunde. Die Sonne stand am höchsten, und jeder, der konnte, verbarg sich vor ihren heißen Strahlen. Da war das Dunkel der Terebinthe wohltuend. Die Augen Abrahams fanden Ruhe an dem Grün der Blätter, und es war hier kühler wie in der flimmernden Hitze. Als Abraham aufschaute, standen drei Männer vor ihm. Er eilte ihnen entgegen, verneigte sich und lud sie zu sich ein. Die drei Männer lagerten sich unter der Terebinthe. Abraham wusch ihnen den Staub von den Füßen. Dann ließ er ein gutes Mahl richten. Sara mußte Kuchen backen und die Knechte ein Kalb schlachten. Es gab Sauermilch und frische Milch. Abraham selbst wartete seinen Gästen unter dem Schatten des Baumes auf, wo sie saßen. Einer der drei Fremden war aber der Herr, der sprach: «Übers Jahr wird Sara einen Sohn gebären.» Sara stand hinter der Zeltwand und hörte die Weissagung. Sie lachte und mochte es nicht glauben. Denn sie und Abraham waren ja bereits uralt. Der Herr hörte Saras Lachen. Aber sie leugnete es, denn sie fürchtete sich. Aber der Herr sprach: «Doch du hast gelacht.»

Abrahams Gastfreundschaft

DER UNTERGANG VON SODOM UND GOMORRHA

Der Herr sprach zu Abraham: «Die Städte Sodom und Gomorrha will ich verderben, denn ihre Sünde schreit zum Himmel und wiegt schwer. Kein Stein soll auf dem anderen bleiben.» Daraufhin fragte Abraham: «Willst du mit den Gottlosen auch die Gerechten töten? Vielleicht sind fünfzig Gerechte in der Stadt Sodom. Willst du nicht lieber wegen dieser fünfzig Gerechten der Stadt vergeben?» Der Herr antwortete: «Wenn ich in Sodom fünfzig Gerechte finde, so will ich um ihretwillen der ganzen Stadt vergeben.» Da fragte Abraham wieder: «Vor dir bin ich Staub und Asche, willst du auch vergeben, wenn an den fünfzig fünf Gerechte fehlen?» Antwortete der Herr: «Sind nur fünfundvierzig Gerechte in Sodom, so will ich allen vergeben.» Abraham fragte wieder und wieder auf die gleiche Weise, solange bis er bei zehn Gerechten angelangt war. Und auch da noch versprach der Herr Vergebung und ging erst dann fort. Am Abend trafen die zwei Engel des Herrn Lot vor dem Tore von Sodom. Er trat auf sie zu und bat sie, bei ihm einzukehren und seine Gastfreundschaft anzunehmen. Weil er sie so dringlich darum bat, gingen sie schließlich mit ihm und aßen bei ihm das Nachtmahl mit den ungesäuerten Broten. Als sie sich zum Schlafe niederlegten, kamen die Männer von Sodom und umzingelten das Haus. Lot sollte ihnen seine Gäste übergeben. Als er sich weigerte, versuchten sie, durch die Tür einzubrechen. Da wurden sie von den Engeln des Herrn mit Blindheit geschlagen, so daß sie vergeblich nach der Türe suchten.

Darauf geboten die Engel Lot, die Seinen um sich zu sammeln. Denn sie sollten vor dem Verderben bewahrt werden. Die zukünftigen Schwäger von Lot aber lachten und blieben, wo sie waren. Lot zögerte. Die Morgenröte nahte. Da nahmen ihn die Engel an der Hand und sein Weib und seine beiden Töchter und führten sie eilends aus der Stadt. Der Herr gebot Lot und den Seinen, sich nicht umzuschauen. Er ließ brennenden Schwefel vom Himmel auf die Städte Sodom und Gomorrha niederregnen und auf das ganze Land ringsum. So wurde dort alles Leben zu Asche. Lots Weib aber sah sich um und erstarrte deshalb zu einer Salzsäule. Am nächsten Tag stieg Qualm über dem ganzen Land auf, Qualm wie von Schmelzöfen. Lot verbarg sich mit seinen beiden Töchtern in einer Höhle im Gebirge.

ABRAHAM UND ABIMELECH

Abraham zog in das Südland. Das gehörte Abimelech, dem König der Philister. Aus Angst um sein Leben gab Abraham seine Frau Sara als seine Schwester aus. Da forderte Abimelech Sara für sich und ließ sie zu sich holen. Aber in der Nacht drohte ihm der Herr mit dem Tode, tat ihm die Wahrheit kund. Abimelech fürchtete sich. Aber er hatte Sara noch nicht mit seinen Händen berührt, so daß ihm der Herr verzieh. Abimelech ließ Abraham zu sich rufen und gab ihm Sara zurück mit den Worten: «Was habe ich dir getan, daß du mir dein Eheweib Sara als deine Schwester gegeben hast?» Abraham antwortete: «Das tat ich aus Furcht, ich würde in diesem Lande meiner Frau wegen getötet. Auch ist sie wirklich meine Schwester. Sie ist die Tochter meines Vaters, aber nicht meiner Mutter. Der Herr hat mir geboten, sie in der Fremde als meine Schwester auszugeben.» Nun schenkte Abimelech dem Abraham viele Schafe und Rinder, Knechte und Mägde und ließ ihn im Land herumziehen, wie er es wollte. Der Herr aber machte den Mutterschoß im Haus Abimelechs wieder fruchtbar, denn er hatte ihn vorher verschlossen. So schlossen Abraham und Abimelech miteinander Frieden und sie leisteten einander einen Eid am Ort Beer-Saba, das ist der Schwurbrunnen. Abraham pflanzte dort eine Tamariske und rief den Namen des Herrn an. Die weichen und zarten Zweige des immergrünen Wüstenbaumes gaben bald Menschen und Tieren Schatten.

Abraham und Abimelech

ISAAKS GEBURT; ISMAEL

Als Abraham hundert und Sara neunzig Jahre alt war, gebar Sara einen Sohn, so wie es der Herr angekündigt hatte. Der Sohn hieß Isaak. Er spielte oft, wie es Kinder so tun, mit Ismael, dem Sohn der Ägypterin Hagar, den diese dem Abraham geboren hatte. So grub er zwischen den Zelten in das spärliche Gras eine Grube. Das sollte ein Brunnen werden. Bald stieß er auf einen Stein, an dem er emsig hin und her rückte. Ismael sprang tanzend um ihn herum. Als Sara die Spiele der Kinder sah, ergrimmte sie und sprach zu Abraham: «Treibe die Magd mit ihrem Sohne fort, denn er soll nicht unser Erbe werden.» Das mochte Abraham nicht tun, denn er hing an dem Kind. Aber der Herr gebot es ihm. Am anderen Morgen gab Abraham Hagar Brot und einen Schlauch mit Wasser. Das Kind setzte er ihr auf die Schulter und schickte sie so fort. Sie verirrte sich in der Wüste. Als der Wasserschlauch leer war, warf sie das Kind unter einen Strauch und setzte sich selbst einen Bogenschuß entfernt auf die Erde, denn sie mochte den Tod ihres Sohnes nicht mitansehen. Das Kind weinte und wimmerte laut. Das hörte Gott und schickte einen Engel, Hagar zu trösten. Der Engel gebot Hagar, den Knaben an der Hand zu nehmen. Und als Hagar dies tat, öffnete ihr Gott die Augen, und sie sah vor sich einen Wasserquell. Sie füllte ihren Schlauch mit Wasser und gab dem Knaben zu trinken. Nun wohnten sie in der Wüste und der Knabe wuchs zu einem Bogenschützen heran.

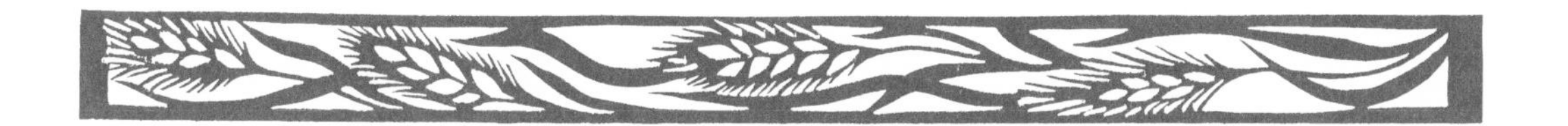

DAS OPFER AUF MORIA

Gott aber versuchte Abraham. Er rief ihn zu sich und sprach: «Nimm deinen Sohn Isaak, deinen einzigen, und bringe ihn in das Land Moria und opfere ihn dort als ein Brandopfer auf einem Berge, den ich dir zeigen werde.» Da wurde es dem Abraham gram im Herzen. Aber er bepackte am anderen Morgen seinen Esel, nahm zwei Knechte und seinen Sohn Isaak mit sich. Gespaltenes Holz für das Brandopfer führte er mit. So machte er sich auf den Weg. Am dritten Tage sah er in der Ferne den Ort, den ihm der Herr genannt hatte. Nun befahl er den zwei Knechten, mit dem Esel zurückzubleiben und auf ihn zu warten. Dann mußte sein Sohn Isaak das Holz für das Brandopfer tragen. Abraham selbst trug den Feuerbrand und das Messer. So gingen die beiden miteinander. Isaak sprach: «Vater!» Abraham antwortete: «Mein Sohn, hier bin ich.» Isaak sprach: «Hier ist das Holz und das Feuer. Wo aber ist das Lamm zum Opfer?» Abraham antwortete: «Mein Sohn, Gott wird sich das Opferlamm selbst erwählen.» So gingen die beiden miteinander. Als sie an die Stätte kamen, die Gott benannt hatte, baute Abraham aus Steinen einen Altar, schichtete Holz darauf. Dann band er seinen Sohn Isaak, legte ihn oben auf das Holz des Altares. Hierauf faßte er das Messer mit seiner Hand, um seinen Sohn zu schlachten. Da rief der Engel des Herrn vom Himmel herab: «Abraham! Abraham!» Er antwortete: «Hier bin ich.» Der Engel sprach: «Lege deine Hand nicht an den Knaben! Tue ihm nichts! Denn nun weiß ich, daß du Gott fürchtest. Deinen Sohn, deinen einzigen, hast du um Gottes Willen nicht geschont.» Als Abraham seine Augen aufschlug, sah er einen Widder, der sich mit seinen Hörnern im Gebüsch verfangen hatte. Da nahm Abraham den Widder und opferte ihn als Brandopfer anstatt seines Sohnes. Der Engel aber segnete Abraham im Namen des Herrn.

Das Opfer auf Moria

SARAS TOD

Sara wurde hundertsiebenundzwanzig Jahre alt. Abraham weinte um sie und hielt die Totenklage. Dann suchte er ein Grab für die Tote. Er kaufte ein Grundstück für vierhundert Lot Silber. Dazu gehörte eine Grabstätte, eine Höhle, die war leer. Dort wuchsen Bäume und spendeten Schatten. Das Grundstück lag gegenüber dem Hain Mamre. Abraham begrub sein Weib Sara in der Höhle. So besaß er nun im Lande Kanaan eine Grabstätte.

ISAAK UND REBEKKA

Nach dem Tode Saras schickte Abraham seinen ältesten Knecht, den Verwalter seiner Güter, er hieß Eliezer, in sein Vaterland zu seinen Verwandten nach Haran in Syrien. Dort sollte Eliezer eine Braut für Isaak suchen. Mit zehn Kamelen zog Eliezer los. Sie zogen als Karawane, eins hinter dem andern, schwer mit Schätzen beladen. Als Eliezer die Stadt Nahors, des Bruders von Abraham, nicht mehr allzu weit vor sich liegen sah, gelangte er zu einem Brunnen. Er dachte bei sich: Hier an der Wasserquelle will ich warten. Kommt ein Mädchen, um Wasser zu schöpfen, so will ich es um einen Trunk bitten. Reicht es mir einen Trunk und tränkt dann noch unaufgefordert meine Kamele, so ist es das Rechte. Und ich will um es als Braut für Isaak werben. Wie Eliezer so hin und her sann, kam Rebekka mit einem Krug auf der Achsel. Sie war sehr schön. Noch kein Mann hatte sie berührt. Sie stieg den Brunnen hinab, füllte den Krug und stieg wieder heraus. Da lief ihr Eliezer entgegen und bat sie um einen Trunk. Alles

Isaak und Rebekka

geschah, wie er es erhofft hatte. Rebekka gab ihm einen Trunk, tränkte unaufgefordert die Kamele und ruhte nicht eher, bis auch der Durst des letzten gelöscht war. So holte sie das alles belebende Wasser aus der Tiefe des Brunnens. Da schenkte ihr Eliezer einen goldenen Nasenring und schwere goldene Spangen für die Arme, und er frohlockte, als er hörte, daß Rebekka die Enkeltochter Nahors war. Er pries die Wege des Herrn. Rebekka lud ihn ein, in das Haus ihrer Eltern zu kommen. Dann lief sie eilends nach Hause und erzählte alles ihrer Mutter. Ihr Bruder Laban stand dabei. Als er die goldenen Ringe sah, rannte er hinaus zum Brunnen und lud Eliezer zu sich ein. Zu Hause zäumte Laban selbst die Kamele ab und versorgte sie. Eliezer aber und seinen Leuten trug er das Wasser hinzu, sich die Füße zu waschen. Dann wollte er das Mahl richten, aber Eliezer, der Knecht Abrahams, gebot Einhalt und richtete erst seinen Auftrag aus. Er warb um Rebekka als Braut für Isaak. Dem stimmten die Verwandten freudig zu und sprachen: «Das ist von dem Herrn gefügt. Nimm Rebekka mit dir!» Und sie riefen Rebekka und fragten: «Willst du mit dem Knecht Abrahams ziehen? Willst du als Braut für Abrahams Sohn mitgehen?» Sie antwortete: «Ja, ich will.»

So zog sie mit Eliezer los. Die Karawane gelangte schließlich in die Steppe, wo der Brunnen «des Lebenden und des Sehenden» war, zu hebräisch Lahai-Roi. Dort ging zur Abendzeit Isaak gerade auf das Feld hinaus, um zu beten. Er sah die Kamele kommen. Auch Rebekka sah Isaak. Da ließ sie sich von ihrem Kamele gleiten und fragte Eliezer: «Wer ist der Mann, der uns dort vom Feld her naht?» Eliezer antwortete: «Das ist mein Herr.» Da verhüllte sich Rebekka mit ihrem Schleier. Isaak führte sie in sein Zelt und wohnte ihr bei. Er gewann sie lieb. So tröstete er sich nach dem Tod seiner Mutter. Er erbte nach dem Tode seines Vaters alles Gut. Abraham wurde 175 Jahre alt, wurde versammelt zu seinen Stammesgenossen, und die Seinen begruben ihn in der gleichen Höhle wie sein Weib Sara. Gott segnete seinen Sohn Isaak.

ESAU UND JAKOB

Rebekka wurde schwanger. Sie spürte, daß sich zwei Kinder in ihrem Leibe stießen, und als sie den Herrn deshalb befragte, weissagte er, zwei Völker würden ihrem Schoße entstammen. Als Rebekka gebar, waren es Zwillinge. Der erste, der aus ihrem Leibe kam, war rötlich und ganz und gar wie ein behaarter Mantel. Sein Name war Esau. Dann kam sein Bruder heraus. Er hielt mit einer Hand die Ferse Esaus und wurde deshalb Jakob, das ist der Fersenhalter, genannt. Die beiden Knaben wuchsen heran. Esau war ein tüchtiger Jäger, ein Mann des freien Feldes. Jakob aber wohnte in den Zelten. Der Vater Isaak hatte den Esau lieber, denn er aß gerne Wildbret. Jakob war der Liebling seiner Mutter Rebekka.

Einst kochte Jakob ein Linsengericht. Esau kam müde und hungrig vom Felde heim und sprach: «Laß mich schnell von deinem roten Gericht essen, denn ich bin müde.» Jakob antwortete: «Verkaufe mir zuvor deine Erstgeburt!» Da sagte Esau: «Siehe, ich muß ja doch sterben. Was soll mir da die Erstgeburt.» Jakob sprach: «So schwöre mir erst.» Esau schwur und verkaufte so an Jakob seine Erstgeburt. Nun gab ihm Jakob Brot und Linsengericht. Esau aß und trank, stand auf und ging davon. So gering achtete er seine Erstgeburt.

ISAAK UND ABIMELECH

Weil eine Hungersnot über das Land kam, flüchtete sich Isaak mit den Seinen und seiner ganzen Habe in die Nähe des Ortes, wo Abimelech herrschte. Dieser war der König der Philister, der seinerzeit mit Abraham einen Vertrag gemacht hatte. Als die Leute, die dort wohnten, nach Isaaks Weib fragten, gab er sie als seine Schwester aus, denn er fürchtete, sie würden ihn um Rebekkas willen töten. Rebekka war sehr schön. Eines Tages schaute Abimelech aus dem Fenster seines Hauses und sah, wie Rebekka und Isaak miteinander kosten. Nun ließ er Isaak vor sich rufen und sprach: «Rebekka ist deine Frau. Warum hast du sie als deine Schwester ausgegeben? Soll Unheil über uns kommen?» Isaak antwortete: «Ich fürchtete, ich würde vielleicht getötet um ihretwillen.» Da gebot Abimelech seinem ganzen Volk, weder Isaak noch Rebekka anzurühren. Denn er hatte Furcht vor dem Herrn. Unter den Händen Isaaks gedieh durch Gottes Segen alles wohl. Die Kornähren waren schwer, und die Ernte war hundertfältig. Seine Schaf- und Rinderherden vermehrten sich, und sein Gesinde wurde immer zahlreicher. Die Philister beneideten ihn um seinen Reichtum. Schließlich sprach Abimelech zu Isaak: «Zieh von hier fort, denn du bist zu mächtig geworden.» Da zog Isaak fort und grub sich neue Brunnen. Wo immer er grub, fand er auch Wasser, so daß das Leben nicht verdorrte. Der Herr segnete sein Tun.

Isaak und Abimelech

JAKOB ERLISTET DEN SEGEN SEINES VATERS

Als Isaak alt wurde, erblindete er. Da rief er seinen ältesten Sohn Esau zu sich und sprach: «Sieh, ich bin alt geworden und weiß nicht, wann ich sterben werde.» Die Mutter Rebekka war gerade zugegen und hörte alles, was der Vater zu Esau sprach. Und als Esau zur Jagd ging, rief sie ihren Sohn Jakob zu sich und erzählte ihm alles, was sie gehört hatte. Sie wollte aber, daß Jakob den Segen bekäme. Sie schickte ihn deshalb zu der Herde. Von dort mußte er zwei Ziegenböcklein holen. Aus denen bereitete sie für Isaak ein gutes Gericht. Aber Jakob fürchtete, wegen seiner feinen Haut würde ihn sein Vater erkennen und dann nicht segnen, sondern verfluchen. Da kleidete ihn die Mutter in Esaus Feierkleider und die Felle der Ziegenböcklein wand sie um seine Arme und um den Hals. Mit dem guten Gericht und dem Brot in der Hand ging Jakob hinein zu seinem Vater und sprach: «Vater!» Isaak sprach: «Hier bin ich. Wer bist du, mein Sohn?» Jakob antwortete seinem Vater: «Ich bin Esau, dein Erstgeborener. Komm, iß von meinem Wildbret und dann segne mich.» Isaak sprach zu Jakob: «Tritt zu mir, damit ich mit meinen Händen taste, ob du wirklich Esau bist oder nicht.» Dem folgte Jakob. Isaak betastete ihn und sprach: «Die Stimme ist Jakobs Stimme, aber die Arme sind Esaus Arme.» Dann ließ er sich das Wildbret auftragen und aß und trank. Danach segnete er Jakob und sprach: «Gott gebe dir den Tau des Himmels und vom Fett der Erde und Korn und Wein die Fülle! Völker sollen dir dienen! Ein Herr sollst du sein über deine Brüder! Verflucht ist, wer dir flucht! Gesegnet, wer dich segnet!»

Kaum hatte Jakob seinen Vater verlassen, kam Esau von der Jagd heim, bereitete das Gericht und trug es dem Vater hinein, daß er ihn segne. Da wurde Jakobs Betrug offenbar. Esau schrie und heulte. Aber der Segen war fortgegeben, und ein zweites Mal konnte er nicht gegeben werden. All seine Macht und Kraft ruhte nun auf Jakob. Isaak sprach zu seinem verzweifelten Sohn Esau: «Ich habe Jakob zum Herrn über dich gesetzt und über alle seine Brüder. Mit Korn und Wein habe ich Jakob versehen. Was soll ich dir da noch geben?» Esau aber haßte Jakob und wollte ihn töten. Es schien ihm nur besser, den Tod seines Vaters abzuwarten. Rebekka, seine Mutter, durchschaute ihn jedoch und riet Jakob voller Angst: «Fliehe zu meinem Bruder Laban nach Haran in Syrien. Bleibe dort, bis sich deines Bruders Zorn gelegt hat. Ich will dann nach dir schicken.» Ehe Jakob vor seinem Bruder floh, gab ihm Isaak einen Reisesegen mit auf den Weg und gebot ihm, sich unter den Töchtern Labans ein Weib zu suchen. Dann floh Jakob mit nur einem Stab in der Hand.

JAKOBS TRAUM

Einmal auf dem Wege nach Haran schlief Jakob über Nacht auf dem freien Feld. Es war eine heilige Stelle. Die Sonne war gerade untergegangen. Jakob nahm einen der Steine, die dort lagen, und legte ihn unter sein Haupt. Er schlief ein. Da träumte ihm, eine Leiter stünde auf der Erde, die berühre mit ihrer Spitze den Himmel und die Engel Gottes stiegen daran auf und nieder. Und der Herr stand vor ihm und sprach: «Ich bin der Herr, der Gott Abrahams und der Gott Isaaks; das Land, auf dem du ruhst, will ich dir und deinen Nachkommen geben. Zahlreich sollt ihr werden wie der Staub der Erde. Ich will dich nicht verlassen, bis sich meine Verheißung erfüllt hat.» Als Jakob von dem Traum erwachte, sprach er: «Wie furchtbar ist dieser Ort. Hier ist Gottes Haus. Hier ist die Pforte des Himmels.» Den Stein, auf dem sein Haupt geruht hatte, richtete er auf als Malstein und goß Öl darüber. Die heilige Stätte, wo dies geschah, hieß Bethel.

Jakobs Traum

JAKOB BEI LABAN

Jakob wanderte immer weiter nach Nordosten zu, wanderte durch die Wüste und durch die Steppe. Endlich gelangte er zu einem Brunnen. Es war hoch am Tage. Dort lagerten drei Schafherden. Der Brunnen war mit einem großen Stein zugedeckt. Die Hirten kamen aus Haran, dem Ziel von Jakobs Reise. Sie warteten auf ihre restlichen Schafe. Erst wenn alle beisammen waren, wollten sie den Stein zusammen fortwälzen, denn er war sehr schwer. Jakob fragte sie nach Laban, und sie kannten ihn wohl. Sie wiesen hinter sich. Da kam gerade Rahel, die Tochter Labans, mit ihren Schafen, um sie zu tränken. Als Jakob Rahel sah, beugte er sich rasch nieder, erfaßte zwei Kanten des Steins über Eck und wälzte ihn fort, er allein. Dann tränkte er Rahels Schafe. Als die Tiere ihren Durst gelöscht hatten, trat er zu Rahel, küßte sie, weinte laut und gab sich als der Verwandte ihres Vaters, als Sohn Rebekkas zu erkennen. Rahel eilte nach Hause zu ihrem Vater. Da lief Laban Jakob entgegen, umarmte und küßte ihn und führte ihn in sein Haus. Jakob blieb bei Laban und diente ihm, diente zunächst für sieben Jahre. Das hatten die beiden miteinander so ausgemacht. Und zwar aus folgendem Grund: Laban hatte zwei Töchter. Die ältere hieß Lea und hatte matte Augen. Ihre Schwester war Rahel, schön von Angesicht und Gestalt. Jakob liebte sie. Allein um ihretwillen diente er sieben Jahre. Als die Zeit um war, schien es Jakob, als wären nur ein paar Tage vergangen. So lieb hatte er Rahel. Nun mahnte Jakob Laban an die Abmachung.

Da veranstaltete Laban ein Festmahl. Alle Bewohner des Ortes lud er dazu ein. Als die Nacht anbrach mit ihren zahllosen Gestirnen, führte Laban seine Tochter Lea als Braut geschmückt in das Gemach Jakobs, und Jakob wohnte ihr bei. Aber am Morgen sah er, daß es Lea war, und wurde unglücklich. Er sprach zu Laban: «Was hast du mir angetan? Habe ich dir nicht um Rahel gedient? Du aber hast mich betrogen.» Laban antwortete: «Es ist hier zu Lande Brauch, daß man erst die Ältere zur Ehe fortgibt und dann die Jüngere. Vollende mit Lea die Festwoche, dann wollen wir dir auch Rahel geben. Du mußt aber weitere sieben Jahre um ihretwillen dienen.» So geschah es. Jakob blieb noch weitere sieben Jahre bei Laban. Jakob zeugte mit Lea zahlreiche Nachkommen. Rahel jedoch war unfruchtbar, bis endlich der Herr Gnade mit ihr hatte und sie einen Sohn gebar. Dies waren die Söhne Jakobs: Die Söhne mit Lea waren: Ruben, Simeon, Levi, Juda, Issaschar und Sebulon. Die Söhne mit Leas Magd Silpa waren: Gad und Asser. Die Söhne mit Rahels Magd Bilha waren: Da und Naphthali. Die Söhne mit Rahel waren: Josef und Benjamin. Benjamin wurde als letzter der zwölf Söhne Jakobs in Kanaan geboren. Lea gebar auch eine Tochter, die nannte sie Dina.

JAKOBS HERDEN

Nach den vierzehn Jahren Dienst um Lea und Rahel diente Jakob Laban noch weitere sechs Jahre. Dann aber sehnte er sich nach Hause, und so forderte er von Laban seinen gerechten Lohn. Weil Jakob klug war und gut mit den Tieren umzugehen verstand, war Laban reich geworden, waren seine Herden gewaltig angewachsen. Nun beschlossen die beiden, ihr Vieh zu teilen. Alle gefleckten Ziegen und alle schwarzen Lämmer sollten Jakob gehören, alle einfarbigen Ziegen und alle weißen Lämmer Laban. Nun legte Jakob allem Vieh in Streifen geschälte Stäbe von Weißpappeln, Mandelbäumen und Platanen in die Tränke. Dadurch brachte der nächste Wurf lauter gefleckte Tiere zur Welt. Bei alldem nahm Jakob nur die starken Tiere und sonderte die schwächlichen Tiere aus. So fielen Laban die schwächlichen Tiere zu und Jakob die starken. So wurde Jakob über die Maßen reich. Er besaß viel Vieh, Mägde und Knechte, Kamele und Esel.

Jakob mit Rahel und Lea

JAKOBS TRENNUNG VON LABAN

Jakob merkte, daß ihm Laban nicht mehr gut gesonnen war und scheel nach seinem Reichtum blickte. Der Herr gebot ihm, in das Land seiner Väter heimzukehren. Da packte er alle seine Habe zusammen. Lea und Rahel, alle seine Kinder, sein ganzes Gesinde zog mit ihm. Die Knechte führten die Viehherden an. Rahel aber stahl den Theraphim ihres Vaters, ohne daß jemand davon wußte. So floh Jakob vor Laban. Der erfuhr erst nach drei Tagen von der Flucht, denn er schor gerade seine Schafe. Da beeilte er sich, die Flüchtlinge einzuholen, sieben Tagereisen weit. Endlich lagen sie einander auf zwei Bergen gegenüber. Der Herr erschien dem Laban im Traum und gebot ihm, Jakob kein Haar zu krümmen. Dem Willen des Herrn mußte sich Laban fügen. So ging er hin und schloß mit Jakob Frieden, ließ ihm alles, was er mit sich führte. Nur seinen Theraphim wollte er wieder haben. Er sprach: «Nun, Jakob, bist du weggezogen, weil du dich heim nach deines Vaters Haus sehnst. Aber warum hast du mir meinen Gott gestohlen?» Jakob antwortete: «Der, bei dem du deinen Gott, deinen Theraphim findest, soll sterben.» Er wußte ja nichts von Rahels Diebstahl. Laban durchsuchte alle Zelte. Er fand aber nichts. Rahel hatte den Theraphim unter ihre Kameldecke gelegt und sich darauf gesetzt. Laban durchsuchte auch ihr ganzes Zelt, fand aber nichts. Sie sprach zu ihrem Vater: «Sei nicht zornig, daß ich vor dir nicht aufstehe, denn es geht mir, wie es den Frauen geht.» So fand Laban seinen Gott, das Götzenbild, nicht. Jakob aber wurde aufgebracht und zankte mit ihm. Schließlich errichteten die beiden ein Mahnmal aus Steinen, brachten Gott ein Opfer und hielten ein Mahl. In der Frühe des nächsten Tages küßte Laban seine Enkel und Töchter und segnete sie. Dann zog er von dannen.

JAKOBS RÜCKKEHR

Jakob kam seiner Heimat Kanaan immer näher. Die Eichen- und Terebinthenwälder, wie sie sein Ahn Abraham so geliebt hatte, erstreckten sich an den Hängen. Seine Tiere bildeten einen langen Zug im Gebirge. Jakob schickte Boten zu seinem Bruder Esau. Durch sie bot er seinem Bruder eine völlige Unterwerfung an. Nur mit einem Stabe war Jakob geflohen. Nun kehrte er mit großem, vom Herrn gesegneten Reichtum heim. Aber als Jakob hörte, daß ihm Esau mit vierhundert Kriegern entgegenzog, fürchtete er sich und teilte seinen ganzen Zug in zwei Lager ein. Er dachte, wenn Esau ein Lager zerschlüge, so könnte das andere doch noch entrinnen. In seiner Not betete er zu dem Herrn. Um seinen Bruder Esau zu versöhnen, bereitete er ihm ein Geschenk: zweihundert Ziegen und zwanzig Böcke, zweihundert Schafe und zwanzig Widder, dreißig säugende Kamele mit ihren Füllen, vierzig Kühe und zehn Stiere, zwanzig Eselinnen mit zehn Füllen. Nun ordnete er einen langen Zug. Die Tiere wurden von den Knechten gruppenweise in kurzen Abständen geführt. So ließ Jakob sein Geschenk vor sich her ziehen. Dann überschritt er noch in der Nacht den Fluß. Seine beiden Frauen nahm er mit sich, seine Mägde und seine elf Söhne. All seine Habe wurde vom Gesinde über den Fluß gebracht. Es gab dort eine Furt.

Jakob aber blieb allein zurück. Da rang ein Mann mit ihm, bis die Morgenröte anbrach, konnte keine Überhand gewinnen und schlug ihn auf das Hüftgelenk, so daß es verrenkt wurde. Der andere sprach: «Laß mich los! Die Morgenröte bricht an.» Aber Jakob antwortete: «Ich lasse dich nicht, du segnest mich denn.» Der andere fragte: «Wie heißest du?» Da nannte Jakob seinen Namen. Sprach der andere: «Du sollst nicht mehr Jakob heißen, sondern Israel (das heißt Gottesstreiter). Denn du hast mit Gott und Menschen gestritten und obsiegtest.» Jakob fragte: «Wie heißest du?»

Jakobs Rückkehr

Antwortete der andere: «Warum fragst du, wie ich heiße?» Und er segnete Jakob. Jakob nannte die Stätte Phil, das heißt Angesicht Gottes. Denn er sagte: «Ich habe Gott von Angesicht zu Angesicht geschaut und bin am Leben geblieben.» Mit ihm, mit seinem neuen Namen erhielt sein ganzes Volk den Namen Israel. Zu eben dem Zeitpunkt ging die Sonne auf. Jakob hinkte an der Hüfte. So kam er wieder zu den Seinen.

Es war eine weite, offene Ebene. Da sah er in der Ferne Esau an der Spitze der vierhundert Mann auf sich zukommen. Jakob ging seinen Frauen und Mägden und seinen Kindern voran. Bald standen sich die beiden Brüder gegenüber. Jakob verneigte sich siebenmal vor Esau. Der eilte ihm entgegen und umarmte und küßte ihn. Esau verwunderte sich über die vielen Kinder. Alle Verwandten Jakobs verneigten sich vor Esau. Der war ganz verwundert über die Geschenke Jakobs, die stattlichen Tiere und wollte sie nicht annehmen. Aber Jakob überredete ihn dazu. Esau wollte sogleich mit seinem Bruder aufbrechen und fortziehen. Aber Jakob sprach: «Esau, du mein Herr, sieh, meine Kinder sind noch zart und ich habe für säugende Schafe und Rinder zu sorgen. Treibe ich die Tiere zu schnell an, so wird die Herde den nächsten Tag nicht überleben. Zieh du voran! Ich will gemächlich nachkommen.» Esau ließ sich bedeuten und zog wieder davon.

JAKOB GELANGT NACH HAUSE

Jakob wollte, so wie es ihm der Herr gebot, hinauf nach Bethel ziehen. Dort war ihm einst der Traum der Himmelsleiter zuteil geworden. Vorher befahl er den Seinen, alle fremden Götter fortzuschaffen. Kein Götzenbild sollte mehr bei ihnen Platz haben. Dann mußten alle ihre Kleider reinigen und wechseln. Sie gaben Jakob ihre fremden Götter und ihre Ohrringe, und er vergrub alle unter der Terebinthe, die bei Sichem steht. Die Menschen in den Städten ringsum verfolgten Jakob nicht, denn sie fürchteten den Herrn. Endlich erreichte Jakob Bethel im Lande Kanaan. Hier hatte er einst sein Haupt auf einen Stein gebettet und ihn dann aufgerichtet. Hier hatte sich ihm Gott geoffenbart, als er vor seinem Bruder floh. Nun errichtete er hier einen Altar, fügte die Steine selbst zueinander. Und Gott erschien Jakob und segnete ihn. Kurz hinter Bethel gebar Rahel einen zweiten Sohn. Die Geburt war aber schwer, und sie mußte sterben. Im Todesaugenblick nannte sie das neugeborene Kind Ben-Oni, das heißt Sohn des Schmerzes. Jakob verwandelte den Namen jedoch in Ben-Jamin, das heißt Sohn des Glücks. Rahel wurde in Bethlehem begraben. Jakob weinte um sie und errichtete ihr einen Malstein. Endlich kam er zu seinem Vater Isaak nach Mamre. Isaak wurde hundertachtzig Jahre alt und starb lebenssatt. Seine Söhne Jakob und Esau begruben ihn.

JOSEF UND SEINE BRÜDER

Jakob liebte Josef, den Sohn Rahels, mehr als seine anderen Söhne. Der Knabe war ihm erst im hohen Alter geboren. Er erinnerte ihn an die verstorbene Rahel und war wie von einem Zauber umgeben. Als Josef siebzehn Jahre alt war, ließ ihm der Vater einen bunten Rock mit Ärmeln nähen. Die Brüder merkten, daß Josef der Liebling des Vaters war, und gönnten ihm deshalb kein freundliches Wort mehr, sondern waren ihm feind. Josef hatte einst einen Traum, den er seinen Brüdern erzählte: «Mir träumte, wir banden Garben auf dem Felde. Meine Garbe richtete sich auf und blieb stehen, eure Garben stellten sich ringsherum und verneigten sich vor meiner Garbe.» Da sprachen die Brüder empört: «Willst du unser König werden und über uns herrschen?» Und sie haßten Josef noch mehr wegen seiner Träume und Worte. Danach hatte er wieder einen Traum, und auch den erzählte er seinen Brüdern. «Seht, mir träumte aufs neue; die Sonne, der Mond und die Sterne verneigten sich vor mir.» Sein Vater schalt ihn wegen des Traumes und sprach: «Sollen etwa ich, deine Mutter und deine Brüder vor dir niederknien?» Die Brüder wurden neidisch. Der Vater aber bewahrte alles in seinem Herzen.

Einmal schickte Jakob seine Söhne weit hinaus, die Schafe zu weiden. Nur Josef behielt er bei sich, sandte ihn erst später, um nach dem Rechten zu sehen. Die Brüder sahen Josef schon von ferne kommen und sprachen untereinander: «Da kommt der Träumer. Nie werden wir vor ihm unsere Knie beugen. Wir wollen ihn töten und sei-

Josef und seine Brüder

nen Leichnam in eine Grube werfen. Zu Hause sagen wir, ein wildes Tier habe ihn gefressen. Dann soll unser Vater um seinen Liebling weinen. Hat er uns nicht wegen Josef mißachtet?» Als Ruben, der älteste der Brüder, diese Reden hörte, wollte er Josef das Leben retten und sprach: «Vergießt kein Blut! Das Leben wollen wir ihm nicht nehmen. Werft ihn in die Grube in der Wüste! Aber legt keine Hand an ihn!» So riet er, weil er bei sich dachte: «Wenn es Abend ist, will ich Josef wieder aus der Grube ziehen und ihm so das Leben retten und ihn zum Vater bringen.» Als Josef bei den Brüdern anlangte und sie freundlich und ahnungslos grüßte, ergriffen sie ihn, rissen ihm seinen bunten Rock vom Leibe und warfen ihn in die Grube. Die Grube war leer und ohne Wasser. Sie war aber so tief, daß Josef nicht ohne Hilfe heraus konnte. So lag er dort wie in einem Grab. Dann setzten die Brüder sich nieder, zogen ihr Brot aus der Tasche und aßen. Ruben ging währenddessen zu den Tieren. Da kam langsam eine Karawane mit Kaufleuten des Weges. Die Kamele waren schwer mit Gummi, Balsam und Holz beladen. Damit wollten die Kaufleute in Ägypten Handel treiben. Sie wurden von den Brüdern gesehen, und diese beschlossen, Josef als Sklaven zu verkaufen. Denn sie trugen Scheu, sein Blut zu vergießen. Nun zerrten sie Josef wieder aus der Grube heraus und verkauften ihn an die Kaufleute für zwanzig Lot Silber. Sie kannten mit ihrem Bruder kein Erbarmen, so sehr er sie auch anflehte. So verkauften sie ihn wie ein Stück Vieh. Die Kaufleute zogen mit ihm davon.

Ruben war nicht bei dem Verkauf dabei gewesen und kam nun zurück. Als er die Grube leer fand, zerriß er verzweifelt seine Kleider. Die Brüder aber schlachteten währenddessen einen Ziegenbock und tränkten Josefs Rock in dem Blut. Dann brachten sie ihn zu ihrem Vater, jammerten laut und sprachen: «Diesen Rock haben wir gefunden. Ist er nicht von deinem Sohn Josef?» Jakob schrie: «Es ist meines Sohnes Rock. Ein wildes Tier hat ihn gefressen.» Er heulte und zerriß seine Kleider, hüllte sich in Sack und Asche und war lange Zeit nicht über den Tod seines Sohnes zu trösten. Niemanden duldete er in seiner Nähe. Er weinte und sehnte sich ins Totenreich zu seinem Sohne. Die Kaufleute aber brachten Josef nach Ägypten und verkauften ihn dort an Potiphar, den Kämmerer des Pharao, den Obersten der Leibwache.

JOSEF BEI POTIPHAR

Bei Potiphar geriet Josef alles wohl, so daß sein Herr ihm gut gesonnen war und ihn bald nicht mehr entbehren mochte. Er bestimmte Josef zu seinem Leibdiener und machte ihn zum Verwalter seines Hauses und aller seiner Güter. Das Haus Potiphars lag nicht weit vom Nil, wo die Barken aus Papyrusstauden mit Lasten beladen stromauf- und -abwärts fuhren. Josef selbst war wie ein Ägypter gekleidet mit einem kurzen, weißen Rock, einem Lendenschurz, teilweise mit Gold durchwirkt. Seine halblang geschnittenen Haare hielt ein Stirnband zusammen. Er war anziehend von Gestalt und Wesen. Dazu kam seine Klugheit, die ihn seinem Herrn immer unentbehrlicher machte.

Nun warf seine Herrin, das Weib Potiphars, ein Auge auf ihn und entbrannte in Liebe. Sie flehte ihn an: «Komm, lege dich zu mir!» Josef weigerte sich und antwortete: «Meinem Herrn bin ich zur Treue verpflichtet. Er hat mir alle seine Güter in die Hand gegeben, außer dir, seine Frau. Wie sollte ich ein solches Unrecht begehen?» Tag für Tag versuchte nun die Frau, Josef für sich zu gewinnen. Sie redete ihm immer wieder zu, aber er ließ sich nicht bedeuten. Dabei konnte er ihr nicht ausweichen. Einmal war das Gesinde außer Hause, da faßte sie Josef an seinem Rock und flehte: «Lege dich zu mir!» Aber er riß sich los und floh aus dem Hause. Als die Frau sah, daß sie Josefs Rock in den Händen hielt, schrie sie laut nach ihrem Gesinde: «Seht, der Hebräer, den mein Herr über uns alle gesetzt hat, wollte seinen Mutwillen an mir üben.» Während sie noch jammerte, kam ihr Mann heim. Dem tischte sie die gleiche Lüge auf. Potiphar geriet in Zorn und ließ Josef ins Gefängnis werfen. Dort saßen auch die Gefangenen des Pharao, des Königs. Aber durch die Hilfe des Herrn erwarb sich Josef die Gunst des Gefängniswärters. Dieser setzte Josef über die Mitgefangenen und kümmerte sich selbst um nichts mehr.

JOSEF IM GEFÄNGNIS

Es geschah, daß zwei hohe Gefangene in den Kerker gebracht wurden. Es waren der Mundschenk und der Bäcker des Pharao. Beide hatten sich eines Vergehens schuldig gemacht. Deshalb traf sie der Zorn ihres Herrn. Josef mußte ihnen Dienste leisten. Nun hatten die beiden Gefangenen in der gleichen Nacht einen Traum, der sie beunruhigte. Als sie Josef am Morgen danach bediente, bemerkte er ihre Ratlosigkeit und fragte sie darum. Sie antworteten: «Wir haben einen Traum gehabt, und jetzt ist niemand da, der ihn uns auslegt.» Da ließ sich Josef ihre Träume erzählen. Der Obermundschenk begann: «Mir träumte von einem Weinstock mit drei Schossen. Sobald er trieb, hatte er auch schon Blüten und reife Beeren. Ich nahm die Beeren, zerdrückte sie in dem Becher des Pharao und gab ihm den Becher in die Hand.» Josef sann nach, dann sagte er: «So ist die Bedeutung: Die Schosse sind drei Tage. In drei Tagen wird dich der Pharao wieder in dein Amt einsetzen, und du wirst sein Mundschenk sein wie ehedem. Aber wenn es dir wieder gut geht, vergiß mich nicht und lege ein gutes Wort für mich bei dem Pharao ein, denn ich bin unschuldig im Gefängnis, und man hat mich aus dem Lande der Hebräer gestohlen.» Wie der Oberbäcker die günstige Deutung des Traumes gehört hatte, erzählte er auch den seinen: «Mir träumte, ich trug drei Körbe voll Weißbrot auf dem Kopfe. Im obersten Korbe war allerlei Backwerk für den Pharao. Aber die Vögel fraßen das Backwerk aus dem Korbe auf meinem Kopfe.» Josef sann nach, dann sagte er: «So ist die Bedeutung des Traumes: Die drei Körbe sind drei Tage. In drei Tagen wird dich der Pharao an einem Pfahl aufhängen lassen, und die Vögel werden das Fleisch von deinen Knochen fressen.» So deutete Josef den Traum von dem Weinstock und von den Broten.

Alles geschah so nach drei Tagen. Der Pharao feierte seinen Geburtstag. Da setzte er den Obermundschenk wieder in sein Amt ein. Er durfte ihm den Becher wieder reichen. Den Oberbäcker ließ er hängen. Der Mundschenk aber vergaß Josef.

Josef im Gefängnis

JOSEFS ERHÖHUNG

So vergingen zwei Jahre. Da träumte dem Pharao: Er stand am Nil und sah sieben schöne, fette Kühe aus dem Nil emporsteigen, die weideten im Grase. Nach ihnen sah er aus dem Nil sieben magere und häßliche Kühe steigen, die traten neben die Kühe am Ufer des Nils. Und die mageren, häßlichen Kühe fraßen die schönen, fetten Kühe auf. Da erwachte der Pharao. Dann schlief er wieder ein und träumte aufs neue: Sieben Ähren wuchsen auf einem Halme, dick und schön; nach ihnen sah er sieben dünne Ähren sprossen, die der Ostwind versengt hatte. Und die dünnen Ähren verschlangen die sieben vollen Ähren. Da erwachte der Pharao. Der Traum versetzte ihn in Unruhe. Er ließ alle Wahrsager und Weisen Ägyptens zu sich rufen. Aber keiner konnte ihm den Traum deuten. Nun erinnerte sich der Mundschenk wieder an Josef und wie er die beiden Träume richtig gedeutet hatte, und erzählte es dem Pharao. Der ließ Josef eilends aus dem Kerker holen. Der Pharao erzählte Josef seine Träume und fragte nach der rechten Deutung. Josef sprach: «Beide Träume bedeuten dasselbe. Gott hat dem Pharao verkündet, was er tun will. Die sieben schönen, fetten Kühe sind sieben Jahre und die sieben schönen Ähren sind auch sieben Jahre. Es ist ein und derselbe Traum. Die sieben mageren, häßlichen Kühe sind auch sieben Jahre; und die sieben leeren, vom Ostwind versengten Ähren werden sieben Hungerjahre sein. Es werden sieben sehr fruchtbare Jahre kommen und danach sieben Hungerjahre. Nach der Fülle wird der Hunger das Land verzehren.» Da fragte der Pharao: «Was soll ich nun tun? Was wäre das Beste?» Josef antwortete: «Du brauchst einen weisen und klugen Mann, der dafür sorgt, daß lauter Vorratshäuser im Lande gebaut werden. Dann muß in den sieben fetten Jahren Getreide für die sieben Hungerjahre gesammelt werden.» Die Deutung und der Rat gefielen dem Pharao, und er setzte Josef selbst über ganz Ägypten. Er zog seinen Siegelring vom Finger und steckte ihn Josef an. Dann gab er ihm einen Rock aus Byssus und hängte ihm eine goldene Kette um, mit Karneol und Lapislazuli versehen als Zeichen der Herrschaft. So gebot Josef über Ägyptenland. Er war gerade dreißig Jahre alt. Nun fuhr er durch das ganze Land. Er ließ sieben Jahre lang Getreide sammeln und brachte es in große, dafür erbaute Vorratshäuser. Dort wurde es gelagert. Jede Stadt, jedes Dorf hatte einen besonderen Speicher. Das Korn wurde gehäuft wie Sand am Meer. Es war unermeßlich viel und gar nicht mehr zu messen. Zu der Zeit gebar eine Ägypterin dem Josef zwei Söhne, Ephraim und Manasse. So lebte er glücklich, und das Land war ihm untertan. Schließlich gingen die sieben fetten Jahre vorüber und die sieben mageren begannen. Da öffnete Josef die Vorratshäuser und verkaufte den Ägyptern das Getreide. Auch aus allen anderen Ländern kamen die Menschen, um Getreide zu kaufen. Denn all die andern Völker ringsum hatten sich keine Vorräte zugelegt. Dadurch, daß Josef das Korn verkaufte, füllte sich das Schatzhaus des Pharao immer mehr von Jahr zu Jahr.

DIE BRÜDER JOSEFS IN ÄGYPTEN

Auch in Kanaan herrschte große Hungersnot. Das Land war von der Dürre hart wie Stein und rissig. Der alte Erzvater Jakob hörte von dem Überfluß in Ägypten. Er schickte deshalb seine Söhne aus, um Getreide zu kaufen. Nur Benjamin, den jüngsten, ließ er bei sich zu Hause. Die Brüder gelangten nach Ägypten. Die Säcke auf den Rücken ihrer Esel waren leer. Sie wurden bei Josef vorgelassen. Sie erkannten ihn aber nicht, denn er hatte sich sehr verändert. Er aber erkannte sie sofort, wußte um einen jeden. Da fielen ihm seine Träume aus der Knabenzeit ein. Sie wurden nun Wirklichkeit. Er gab sich aber nicht zu erkennen, sondern fuhr seine Brüder barsch an: «Ihr seid Spitzel und wollt dieses Land auskundschaften.» Die Brüder beteuerten erschrocken ihre Unschuld und sprachen: «Wir möchten gerne Getreide kaufen und sonst nichts, denn in unserem Lande herrscht Hungersnot. Wir sind zwölf

Die Brüder Josefs in Ägypten

Brüder aus dem Lande Kanaan. Der kleinste ist bei unserm Vater zu Hause geblieben, und der zweitjüngste ist nicht mehr da.» Josef aber erwiderte: «Ihr sollt nicht von hinnen ziehen, ehe ich die Wahrheit eurer Angaben nachgeprüft habe. Dazu muß euer jüngster Bruder zu mir kommen. Einer von euch muß aber gefangen bei mir bleiben.» Als die Brüder dies hörten, erschraken sie und sprachen zueinander: «Das müssen wir erleiden, weil wir uns an unserem Bruder verschuldet haben.» Josef hörte ihre Reden, tat aber so, als verstünde er kein Wort. Er hatte nämlich über einen Dolmetscher mit seinen Brüdern gesprochen. Er ging hinweg und weinte. Niemand sollte seine Tränen sehen. Dann kehrte er wieder zurück und ließ seinen Bruder Simon als Geisel gebunden abführen. Seinen Dienern befahl er, die Säcke der Brüder mit Korn zu füllen und heimlich das Geld eines jeden obenauf in den Sack zu legen. Nun luden die Brüder die Säcke mit dem Korn auf ihre Esel und zogen heim. Zu Hause berichteten sie ihrem Vater alles, was geschehen war. Als sie ihre Säcke öffneten, fanden sie das Geld und gerieten in Ratlosigkeit. Jakob aber sprach: «Ihr beraubt mich noch aller meiner Kinder. Josef ist nicht mehr. Simon liegt gefangen. Und nun wollt ihr mir auch noch meinen Benjamin nehmen. Er darf nicht nach Ägypten. Wenn ihm etwas zustieße, so würde ich vor Kummer sterben.»

BENJAMINS REISE NACH ÄGYPTEN

Indes dauerte die Hungersnot fort, und das Getreide war bald aufgezehrt. Es mußte neues Korn gekauft werden, und Jakob wollte seine Söhne wieder nach Ägypten schicken. Aber sein Sohn Juda sprach: «Der Ägypter sagte, daß er uns ohne unseren jüngeren Bruder gar nicht erst vorließe. Ohne Benjamin werden wir keinen Scheffel Korn erhalten. Laß ihn mit uns ziehen, wir müssen sonst alle sterben. Ich will mit meinem Leben für ihn bürgen.» So mußte der Vater seinen Benjamin mitgeben. Denn der Tod stand ja allen vor Augen. Die Brüder nahmen auch das Geld wieder mit, das in den Säcken gelegen hatte. Sie vermuteten ein Versehen und wollten es wieder zurückgeben. Dann wanderten die Brüder mit ihren Eseln nach Ägypten und kamen glücklich dort an. Josef schaute aus dem Fenster auf den Hof und sah seinen Bruder Benjamin. Da ließ er ein Mahl für seine Brüder bereiten, und sie mußten in sein Haus eintreten. Voller Furcht folgten sie dem Befehl und meinten, es wäre wegen des Geldes. Sie fürchteten, man wolle sie zu Sklaven machen. Darum entschuldigten sie sich bei dem Hausverwalter sogleich wegen des Geldes. Der aber sprach: «Habt nur keine Furcht.» Als Josef zu ihnen kam, verneigten sie sich und warfen sich zur Erde. Dann überreichten sie ihm ihre Geschenke. Aber Josef sah nicht danach, sondern fragte: «Geht es eurem Vater wohl, von dem ihr erzählt habt? Lebt er noch?» Sie antworteten: «Er lebt noch und befindet sich wohl.» Josef blickte zu Benjamin, dem Sohn seiner Mutter, und fragte: «Ist das euer jüngster Bruder?» Als sie es bejahten, schritt er rasch in seine Kammer und weinte, so sehr hatte der Anblick des jüngsten Bruders sein Herz bewegt. Als er sein Gesicht gewaschen und getrocknet hatte, trat er wieder zu seinen Brüdern ein und ließ ihnen das Essen auftragen. Er setzte die Brüder an der Tafel genau nach ihrem Alter. Darüber waren diese sehr verwundert. Benjamin aber erhielt fünfmal soviel wie die anderen. Alle aßen, tranken und wurden fröhlich.

JOSEFS SILBERNER BECHER

Wieder, so wie bei der ersten Reise, befahl Josef seinem Hausverwalter, das Geld heimlich zuoberst in die Säcke zu legen. Aber dazu kam Josefs silberner Becher. Den mußte der Hausverwalter in Benjamins Sack verstecken. Am anderen Morgen zogen die Brüder wohlgemut mit ihren vollgepackten Eseln von dannen. Kaum aber waren sie zur Stadt hinaus, da sandte Josef seinen Hausverwalter hinter ihnen her mit den Worten: «Jage den Männern nach, und wenn du sie eingeholt hast, so sprich zu ihnen: Warum habt ihr Gutes mit Bösem vergolten und den silbernen Becher gestohlen, aus dem mein Herr trinkt und aus dem er weissagt? Daran habt ihr übel getan.» Als der Verwalter die Brüder eingeholt hatte, hielt er an und sprach so zu ihnen, wie es ihm sein Herr aufgetragen hatte. Die Brüder waren bestürzt und riefen: «Bei wem von uns der Becher gefunden wird, der sei des Todes.» Der Verwalter aber erwiderte: «Der, bei dem der Becher gefunden wird, ist mein Gefangener. Die anderen aber gehen frei aus.» Auch das hatte Josef so befohlen. Nun stellten die Brüder alle ihre

Josefs silberner Becher

Säcke auf den Boden. Sie ahnten nichts Gutes, obwohl sie nichts Übles getan hatten. Der Verwalter, beim ältesten anfangend, durchsuchte alle Säcke. Schließlich gelangte er zu Benjamin, dem jüngsten. Dort fand er den Becher. Da schrien und weinten die Brüder, zerrissen ihre Kleider, beluden aufs neue ihre Esel und kehrten mit in die Stadt zurück.

Juda und seine Brüder traten in Josefs Haus und warfen sich vor ihm zur Erde. Josef sprach: «Was habt ihr getan, wußtet ihr denn nicht, daß ich die Wahrheit ans Licht brächte?» Juda antwortete: «Laß mich ein Wort reden, ohne daß dein Zorn mich verbrennt! Laß den ziehen, bei dem der Becher gefunden wurde, und wir anderen sind deine Knechte.» Aber Josef antwortete: «So will ich nicht handeln. Der Dieb des Bechers ist mein Knecht. Ihr andern zieht heim zu eurem Vater.» Da sprach Juda weinend: «Wenn wir ohne den Knaben nach Hause kommen, so stirbt mein Vater vor Schmerz. Ich bin für den Knaben Bürge geworden, also will ich an seiner Statt Knecht sein. Habe doch Erbarmen und laß den Knaben heim zu seinem Vater!»

JOSEF GIBT SICH ZU ERKENNEN

Nun vermochte Josef nicht länger an sich zu halten. Jedermann, der im Raume war, schickte er fort, so daß er nur mit seinen Brüdern alleine war. Er weinte laut, daß es alle hörten und die Kunde davon bis zum Hause des Pharao drang. Josef sagte zu seinen Brüdern: «Ich bin Josef. Lebt mein Vater noch?» Seine Brüder erschraken so, daß sie ihm nicht zu antworten vermochten. Josef fuhr fort: «Tretet zu mir!» Da traten sie zu ihm heran. Josef sagte weiter: «Ihr habt mich, euren Bruder, nach Ägypten verkauft. Doch seid darum nicht gram. Um viele Leben zu erhalten, hat mich Gott hierher gesandt. Zwei Jahre währt nun schon die Hungersnot, und fünf Jahre wird sie noch währen, wird kein Pflügen und kein Ernten sein. Darum hat mich Gott hierher gesandt, um euch die Nachkommenschaft zu sichern. So hat Gott alles gewollt. Nun zieht heim zu meinem Vater und kommt zusammen mit ihm und all den Seinen, den Kindern und Kindeskindern hierher! Im Lande Gossen sollt ihr wohnen. Da ist Raum genug.» Darauf fiel Josef Benjamin um den Hals und weinte und küßte alle seine Brüder. Der Pharao hörte von dem, was geschehen war. Er machte den Brüdern große Geschenke und lud sie auf das freundlichste ein, in Ägypten Wohnung zu nehmen. So zogen die Brüder reich beladen zurück in ihre Heimat zu ihrem Vater Jakob. An dem hatte die Sorge gezehrt, nun war er voller Freude. Er sprach: «Genug! Mein Sohn Josef lebt noch. Ich will ihn sehen, ehe ich sterbe.»

JAKOB IN ÄGYPTEN

Auf Geheiß Gottes zog nun Jakob nach Ägypten. Seine Söhne und Enkel, seine Töchter und Enkelinnen und sein ganzes Geschlecht, sein ganzes Hab und Gut nahm er mit. So wurden alle vor dem Hungertode gerettet. Josef ließ vor seinen zweirädrigen Wagen die Pferde spannen und eilte dem Vater entgegen. Weinend lagen sie nach langer Trennung einander in den Armen. Jakob durfte mit den Seinen im Lande Gossen wohnen. Der hundertdreißigjährige Greis war zu Gast bei dem Pharao. Seine Haare waren ergraut, aber seine Augen funkelten voller Leben. Josef verwaltete weiter ganz Ägypten. Die Hungersnot lastete schwer auf den Ländern. Die Menschen kamen zu Josef, um bei ihm Korn zu kaufen. Bald hatten die Menschen all ihr Geld ausgegeben. Josef gab es dem Pharao. Aber die Menschen schrieen wieder nach Brot. Da nahm Josef als Kaufpreis all ihr Vieh und gab ihnen dafür das Korn. Als sie all ihr Vieh verkauft hatten, war die Zeit der Dürre immer noch nicht beendet. Nun mußten sie all ihr Land an den Pharao verkaufen, um nicht zu verhungern. So gehörte bald alles Land dem Pharao. Nur das Ackerland der Priester wurde nicht zu seinem Eigentum.

JAKOBS UND JOSEFS TOD

Jakob wurde 147 Jahre alt. Und als seine Zeit zu sterben kam, mußte ihm Josef schwören, daß er ihn in Kanaan, im Hain Mamre, im Grab Isaaks und Abrahams begraben würde. Als Jakob sein Ende fühlte, segnete er die beiden Söhne Josefs, Ephraim und Manasse. Seine Augen waren schwach geworden, und er mußte sich mühsam im Bett aufrichten. Nun war aber Ephraim der jüngere und Manasse der ältere Sohn Josefs. Jakob segnete sie, indem er seine Arme überkreuzte, so daß er den Jüngeren mit der rechten Hand und den Älteren mit der linken Hand segnete. Dies mißfiel dem Josef. Er konnte es jedoch nicht verhindern. Dem Erstgeborenen stand der Segen durch die rechte Hand zu. Aber Jakob gab Ephraim den Vorrang vor Manasse. Danach segnete Jakob alle seine zwölf Söhne und gab ihnen seine letzten Weisungen. Dann zog er seine Füße auf das Bett zurück und verschied. Josef aber balsamierte den Leichnam ein nach Art der Ägypter und brachte ihn, so wie er es geschworen hatte, nach Kanaan und begrub ihn in der Höhle des Abraham. Dann kehrte er nach Ägypten zurück. Er sorgte für seine Brüder und alle Kinder Israels. Er lebte hundertzehn Jahre, und in der Stunde des Todes nahm er einen Eid von den Söhnen Israels, daß sie dereinst seine Gebeine nach Kanaan brächten. Danach starb er. Man balsamierte ihn ein und legte ihn in Ägypten in einen Sarg.

MOSES

MOSES' GEBURT

Vierhundert Jahre vergingen. In dieser Zeit wuchsen die Kinder Israels zu einem zahlreichen und starken Volk heran.

Der Pharao mit der blauen Krone gleich einer Haube stand von seinem Königsstuhl auf und wurde dies gewahr. Angst erfaßte sein Herz. Deshalb rief er seine Obersten zu sich und befahl ihnen, die Israeliten zu knechten und zu unterdrücken, gab ihnen alle Macht dazu. Die Städte Pithom und Ramses mußten die Israeliten bauen, die Ziegel dafür brennen.

Dann befahl der Pharao den Hebammen, wenn eine israelitische Frau einen Sohn gebar, ihn sofort nach der Geburt zu töten. Am Leben bleiben durften nur die Mädchen. Die Hebammen töteten jedoch keinen einzigen Säugling. Sie flüchteten sich in Ausreden. So wuchsen immer mehr Israeliten heran. Als dies der Pharao merkte, befahl er seinen Knechten, alle neugeborenen Knaben im Nil zu ertränken.

Ein Israelit aus dem Hause Levi heiratete eine Levitin. Die Frau wurde schwanger und gebar einen Sohn. Sie freute sich über das wohlgestaltete Kind und verbarg es sorgsam drei Monate lang. Dann war dies aber nicht mehr möglich. Sie flocht deshalb ein Kästchen aus Schilfrohr, verklebte es mit Asphalt und Pech, legte das Kind hinein und setzte das Kästchen ins Schilf am Ufer des Nils. Der Schwester des Kindes war bange um den Bruder. Sie hätte gern um seine Zukunft gewußt. Deshalb versteckte sie sich hinter einem Busch und schaute zu, wie das Kästchen auf den Wellen schwankte, schließlich aber im Schilf steckenblieb. Da stieg die Tochter des Pharao zum Nil hinunter, um sich zu baden, während ihre Dienerinnen am Ufer hin und her gingen. Sie entdeckte das Kästchen und ließ es von einer ihrer Dienerinnen holen. Als sie es öffnete, gewahrte sie das weinende Knäblein. Es zappelte heftig mit seinen Armen und Beinen und streckte sie zu der Tochter des Pharao empor. Die erbarmte sich des Kindes und sprach: «Das ist ein Kind der Hebräer.» Unterdes kam die Schwester des Kin-

Moses' Geburt

des hinter dem Busch hervor, trat zu ihr und fragte: «Soll ich dir eine hebräische Amme holen, die dir das Kind stillt?» Dem stimmte die Tochter des Pharao zu. Eilends holte die Schwester die Mutter des Kindes. Ihr vertraute die Pharaotochter das Kind an und versprach ihr einen guten Lohn. Die Frau nahm das Kind zu sich und säugte es. Als das Kind größer geworden war, wohnte es im Hause der Pharaotochter. Die nahm es an Sohnes Statt an und nannte es Moses, das heißt: der aus dem Wasser Gezogene.

MOSES' FLUCHT NACH MIDIAN

So wuchs Moses im Hause des Pharao heran. Er erlernte die Wissenschaft der Ägypter, und ihre Weisheit wurde ihm zuteil. Keins der vielen Zeichen ihrer Bilderschrift war ihm fremd. Alle Geheimnisse der Tempel und Pyramiden waren ihm vertraut und offenbar. Zum innersten Heiligtum der Tempel und zu den Grabkammern der Pyramiden hatte er Zugang. Dort sah er im Dunkel bei brennender Fackel ringsum an den Wänden die farbigen Bilder, sah, wie der verstorbene Pharao auf der leicht geschwungenen Barke durch den Himmel fuhr, bei Tag mit der Sonne und bei Nacht mit dem Mond durch das All mit seinen zahllosen Gestirnen. Ihren Gang am Himmel, ihre Ordnung erfuhr er, und in den Grabkammern bei der Bestattung der Toten erfuhr er die Ordnung des menschlichen Leibes, seinen wunderbaren Bau. Tod und Leben waren ihm gleichermaßen nah. So wurden ihm die Götter der Ägypter vertraut. Ja, er kannte sie besser als die Ägypter selbst. Denn für diese selbst verdunkelte sich der Götterhimmel immer mehr und verlor alle Klarheit. Deshalb verfielen sie in Angst, Haß und Gewalt. Moses lebte vierzig Jahre in Ägypten.

Da geschah folgendes: An einem Tage ging er hinaus zu den anderen Israeliten, die ja eigentlich seine Brüder waren, mit denen er aber kaum etwas zu tun hatte. Er selbst lebte ja im Hause des Pharao. Er wurde mit Erschrecken gewahr, wie sie von den Aufsehern bei der Arbeit geschunden wurden. Ein Ägypter schlug einen seiner Brüder mit einem harten Holz, bis kaum noch Leben in ihm war. Der konnte und durfte sich nicht wehren. Moses blickte sich rasch nach allen Seiten um, und als er keinen Menschen gewahr wurde, erschlug er den Ägypter und verscharrte den Leichnam im Sand. Am nächsten Tag ging er wieder hinaus und traf zwei Israeliten, die sich stritten. Zu dem, der im Unrecht war, sprach er: «Warum schlägst du deinen Nächsten?» Der gab zur Antwort: «Wer hat dich zum Richter über uns bestimmt? Willst du mich auch töten, so wie du den Ägypter erschlagen hast?» Moses erschrak und begann sich zu fürchten. Von seiner Tat hörte auch der Pharao und trachtete ihm nach dem Leben. Überstürzt floh Moses in das Land Midian. Dazu mußte er lange Strecken durch die Wüste wandern.

An einem Tag hielt er Rast an einem Brunnen. Er war von der Wanderung durch die Einöde ermüdet. Seine Füße schmerzten von den vielen scharfen Steinen. Erschöpft hatte er innegehalten. In der Sonnenglut nahten sich die sieben Töchter des Priesters von Midian. Sie schöpften Wasser aus dem Brunnen und füllten damit die Wasserrinnen, um ihre Schafe zu tränken. Die drängten sich durstig nach dem Wasser. Aber aus der Wüste kamen Hirten mit ihren Tieren und stießen die sieben Töchter mit ihren Schafen vom Wasser fort. Moses sprang auf und vertrieb die Hirten mit ihren Tieren, half so den sieben Schwestern und tränkte dann die Schafe. Jedem Tier half er, seinen Durst zu löschen. Jethro, der Vater der sieben Mädchen, wunderte sich, als sie früher als sonst heimkamen. Sie sagten zu ihrem Vater: «Ein Ägypter hat uns gegen die Hirten geholfen. Er schöpfte Wasser und tränkte die Schafe.» Das meinten sie, weil Moses ägyptische Kleidung trug. Sie mußten Moses zu ihrem Vater herholen. Alle nahmen sie ein gemeinsames Mahl ein. Vierzig Jahre blieb Moses bei Jethro. Dieser gab ihm seine Tochter Zippora zur Frau, und sie gebar Moses einen Sohn. Währenddessen starb in Ägypten der Pharao, vor dem Moses geflohen war. Aber den Kindern Israels erging es weiter übel. Gott, der Herr, hörte ihr Wehgeschrei und gab sich ihnen kund.

DIE BERUFUNG MOSES'

Einst hütete Moses die Schafe seines Schwiegervaters Jethro, des Priesters. Er trieb sie über die Steppe bis zum Fuße des Horeb, des Gottesberges. Als er den Berg hinansteigen wollte und aufschaute, erschien ihm der Engel des Herrn in einer Feuerflamme, die aus einem Dornbusch hervorschlug. Moses sah, daß der Busch brannte, aber vom Feuer nicht verzehrt wurde. Um das Wunder zu ergründen, näherte sich Moses den Flammen. Gott, der Herr, sah ihn und rief ihm aus dem brennenden Dornbusch zu: «Moses! Moses!» Moses antwortete: «Hier bin ich.» Gott, der Herr, sprach: «Tritt nicht heran! Ziehe die Schuhe von deinen Füßen! Die Stätte, auf der du stehst, ist heiliges Land. Ich bin der Gott deines Vaters, der Gott Abrahams, der Gott Isaaks und der Gott Jakobs.» Da verhüllte Moses sein Antlitz, denn er fürchtete sich. Der Herr sprach: «Ich habe das Elend der Kinder Israels gesehen. Ihr Schreien habe ich gehört, und ich will sie aus der Gewalt der Ägypter erretten. Du sollst sie aus dem Land ihres Elends führen.» Moses aber erwiderte. «Wie sollte ich das können?» Der Herr sprach: «Ich werde mit dir sein. Hier an diesem Berg sollt ihr mich verehren.» Moses fragte: «Was soll ich den Israeliten sagen, wenn sie nach dem Namen des Gottes ihrer Väter fragen?» Der Herr sprach zu Moses: «Ich bin, der ich bin. Sage den Israeliten: ‹Ich bin› hat mich zu euch gesandt. Sage ihnen: Jahve hat mich gesandt, und in seinem Namen werde ich euch führen in das Land, wo Milch und Honig fließen.» Aber Moses war seiner selbst noch immer unsicher. Deshalb sprach der Herr: «Wirf deinen Stab auf die Erde.» Moses tat es. Im gleichen Augenblick verwandelte sich der Stab in eine Schlange, vor der Moses floh. Der Herr rief: «Strecke deine Hand aus und fasse die Schlange am Schwanz!» Dem folgte Moses. Da wurde die Schlange wieder zum Stabe. Der Herr sprach weiter: «Lege deine Hand auf deine Brust!» Moses tat so, und als er sie wieder hervorzog, war sie vom Aussatz weiß wie Schnee. Der Herr sprach: «Lege deine Hand nochmals auf deine Brust!» Als Moses dem folgte und sie wieder hervorzog, war sie wieder gesund. Aber er suchte immer noch nach Ausflüchten vor dem Herrn und sprach: «Ach Herr, mir fällt das Reden schwer. Meine Zunge liegt mir wie ein Stein im Mund.» Zornig antwortete ihm der Herr: «Geh nun hin! Alle, die dir nach dem Leben trachteten, sind tot. Dein Bruder Aaron soll für dich reden und du wirst ihm die Worte in den Mund legen.» Kurz darauf kehrte Moses nach Ägypten zurück.

MOSES VOR DEM PHARAO

Moses und sein Bruder Aaron gingen zu dem Pharao. Sie waren ohne Furcht. Moses war jetzt achtzig Jahre alt, und sein Bruder war drei Jahre älter. Und sie sprachen zum Pharao: «Laß unser Volk in die Wüste ziehen! Dort wollen wir ein Fest feiern. Der Herr, unser Gott, will es so.» Der Pharao aber antwortete: «Euer Volk soll für mich arbeiten und sonst nichts. Geht fort! Mir aus den Augen!» Und noch am gleichen Tag befahl er, den Israeliten kein Stroh mehr zu geben wie bisher. Das war aber nötig zum Formen der Ziegel, damit sie nicht zerbrachen. Sie sollten selbst alles Stroh auf den Äckern zusammenlesen. Die waren aber schon abgeerntet. Dabei sollten sie genau so viele Ziegel abgeben wie bisher. Wie sollte das aber möglich sein? So hatten die Ägypter einen Grund, die Israeliten zu schlagen und zu quälen. Sie übten Unrecht und Gewalt. Sie forderten etwas, was nicht erfüllt werden konnte. Daraufhin traten Moses und sein Bruder Aaron wiederum vor den Pharao, und Aaron warf seinen Stab auf den Boden. Der verwandelte sich in eine Schlange. Aber nun ließ der Pharao seine Weisen und Zauberer rufen. Die warfen auch ihre Stäbe zur Erde, und die wurden ebenfalls zu Schlangen. Aber Aarons Stab verschlang alle anderen Stäbe. Doch der Pharao blieb verstockt.

Die Berufung Moses'

DIE NEUN PLAGEN

Jahve, der Herr, ließ neun Plagen über Ägypten kommen. Nach jeder Plage versprach der Pharao, die Kinder Israels frei ziehen zu lassen. Aber jedesmal besann er sich dann wieder eines andern, verstockte sich und brach sein Wort. Erst beim neunten Mal ließ er die Kinder Israels ziehen. Von allen neun Plagen blieben die Kinder Israels verschont. An ihnen und an ihrem Land Gossen gingen alle Plagen vorüber.

Beim ersten Mal gingen die Brüder Moses und Aaron an den Nil, und im Angesicht des Pharao und seiner Gefolgschaft schlug Aaron auf Geheiß des Herrn mit dem Stab auf das Wasser. Sogleich verwandelte sich alles Wasser des Nils in Blut, und die Fische starben. Das Wasser des Flusses stank, und kein Mensch konnte es mehr trinken. Alles Wasser im Lande war Blut. Die Ägypter gruben überall im Lande nach Wasser, denn sie litten Durst. Das währte volle sieben Tage.

Beim zweiten Mal streckte Aaron auf Geheiß des Herrn seinen Stab über alle Gewässer des Landes aus. Da sprangen unzählige Frösche herauf und bedeckten das ganze Land. Als der Pharao versprach, die Israeliten ziehen zu lassen, wenn nur die Froschplage aufhöre, betete Moses zum Herrn, und die Frösche starben in den Häusern, auf den Höfen und Feldern. Man schüttete sie zu großen Haufen zusammen, daß das ganze Land davon stank.

Beim dritten Mal schlug Aaron auf Geheiß des Herrn mit seinem Stab in den Staub auf die Erde. Unzählige Mücken krochen heraus und bedeckten die Menschen und das Vieh.

Beim vierten Mal fiel auf Geheiß des Herrn eine riesige Schar von Bremsen in das Haus des Pharao und über das ganze Land.

Beim fünften Mal ließ der Herr eine furchtbare Beulenpest über alle Ägypter und ihr Vieh hereinbrechen.

Die neun Plagen

Beim sechsten Mal streckte Moses auf Geheiß des Herrn seinen Stab zum Himmel empor. Da fiel ein furchtbarer Hagel herab, mit Feuer vermischt. Der erschlug alle Menschen und alles Getier auf dem freien Feld, und zwischendurch donnerte es unaufhörlich.

Beim siebten Mal bedeckten Heuschreckenschwärme das ganze Land und fraßen alles auf, dessen sie nur habhaft werden konnten. Sie fraßen alle Bäume kahl und alles, was auf dem Feld wuchs.

Beim achten Mal streckte Moses auf Geheiß des Herrn seine Hand aus, so daß Ägypten drei Tage lang von einer dichten Finsternis bedeckt war.

Zuletzt, also beim neunten Mal, schlug der Herr die Erstgeburt der Ägypter. Wieder hatte der Pharao nicht auf die Warnungen von Moses achtgegeben. Die Kinder Israels richteten, wie es ihnen der Herr gesagt hatte, das Passahmahl. Jede Familie schlachtete ein Lamm, tunkte ein Büschel von Ysop in das Blut des Lammes und strich davon an die Oberschwelle der Türpfosten. Das geschah am Abend. Dann wurden die Häuser verschlossen, und keiner der Israeliten trat bis zum nächsten Morgen vor die Tür. Das geschlachtete Lamm wurde angerichtet. Bitterkräuter wurden hineingemischt und ungesäuertes Brot dazu gereicht. Kein Knochen des Lammes durfte gebrochen werden. Was von dem Fleisch übrigblieb, mußte alles verbrannt werden. Umgürtet und mit einem Wanderstab in der Hand aßen alle eilig im Stehen. So hatte der Herr alles festgesetzt. Und so sollte es in Zukunft immer gehalten werden. In der Nacht ging der Todesengel des Herrn durch Ägypten. Er schlug alle Erstgeburt mit dem Tode. Vom Erstgeborenen des Pharao, der auf seinem Thron saß in der Fülle seiner Macht, bis zum Erstgeborenen der Sklavin hinter der Handmühle. Aber an den Häusern der Kinder Israels ging er vorüber. Dort starb keine einzige Erstgeburt. Die Ägypter gerieten in große Not und Verzweiflung. Noch in derselben Nacht ließ der Pharao in Todesangst Moses und Aaron zu sich rufen und befahl ihnen, das Land schnell zu verlassen mit allem Volk und Vieh. All ihre Habe durften sie mit sich nehmen. So verließen die Kinder Israels nach einem Verlauf von vierhundertdreißig Jahren Ägypten. Die Gebeine Josefs führten sie mit sich. Das hatte dieser so gewollt.

DER ZUG DURCH DAS SCHILFMEER

Jahve, der Herr, zog vor den Kindern Israels her, am Tage in Gestalt einer Wolkensäule und bei Nacht in Gestalt einer Feuersäule. So konnten sie den rechten Weg nicht verfehlen. Die zwölf Stämme Judas bildeten einen langen Zug. Sie führten ja all ihre Tiere mit sich. Dabei mußten die Hirten immer Sorge tragen, daß die Tiere zusammenblieben. Dicht beieinander liefen die Schafe, geführt von den mächtig gehörnten Widdern. Oft zockelten die Lämmer hinterher, sprangen dann wieder zu den Mutterschafen, die immer gleichmäßig vorangingen. Eigenwillig kletterten die Ziegen auf manchen Felsbrocken und sahen sich neugierig nach allen Seiten um. Oft streiften ein paar Hirtenjungen mit Hirtenstäben zwischen ihnen her, laut rufend. Dann zog im immer gleichmäßigen Trott die Herde der Rinder, die Kälber meist dicht bei den Kühen. Ab und zu scherte ein Stier zur Seite aus, und die Männer mußten ihn wieder in die richtige Richtung treiben. Und dann die Esel. Entweder zogen sie die zweirädrigen Karren oder waren hoch bepackt. Die meisten Lasten trugen die Kamele. Sie liefen hintereinander als Karawane in ihrem schwingenden Gang. Auf ihnen saßen viele Frauen und Kinder. Aber noch mehr hatten auf den zweirädrigen Karren Platz gefunden. Die waren vollbepackt mit Krügen und Töpfen, Zeltstangen und Tuch. Die weitaus meisten Israeliten gingen allerdings zu Fuß auf dem sandigen, dann wieder steppenartigen Boden der Wüste. Am Tage in der Mittagsglut hielten sie lange Rast. Jeder suchte sich einen schattigen Platz oder spannte sein Zeltdach ein Stück aus. In der Nacht loderte die Feuersäule Jahves. Dann wanderten sie oft los. Moses war um alle bedacht. Er trug Sorge um die Kinder Israels.

Den Pharao reute es, daß er die Kinder Israels hatte ziehen lassen. Denn sie waren ihm für seine schweren Bauarbeiten recht. An die sechshundert Streitwagen ließ er anspannen, um die Israeliten zurückzuholen. Seine Krieger trieb er an in seinem Haß und verfolgte die Israeliten. Die sahen ihn in der Ferne wie einen dunklen Punkt, der immer größer wurde. Sie fürchteten sich, hätten lieber ihren Unterdrückern gedient, als in der Wüste zu sterben. Aber Jahve sah ihre Not. Die Wolkensäule, die vor ihnen hergezogen war, trat hinter sie, verfinsterte sich und verbarg sie so vor ihren Verfolgern. Die ganze Nacht kamen die beiden Heere dadurch einander nicht näher. Die Flüchtigen gelangten an das Ufer des Schilfmeeres. Das war sehr breit und tief. Der Rückweg war versperrt. Moses stand am Ufer des Meeres und reckte seine Hand über die Wogen aus. Jahve, der Herr, trieb das Meer die ganze Nacht durch einen starken Ostwind zurück, bis sein Grund trocken war. Die Wasser spalteten sich. So zogen die Kinder Israels mit all ihren Tieren mitten im Meer auf dem Trockenen. Wie eine Mauer standen die Wasser zur Rechten und zur Linken. Die Verfolger aber, der Pharao mit all seinen Streitwagen, wollten denselben Weg nehmen wie die Flüchtlinge. Jahve in der Wolken- und Feuersäule verwirrte das Heer der Ägypter, hemmte auf dem Meeresgrund die Räder ihrer Kampfwagen und ließ sie nur mühsam vorwärts kommen. Moses dagegen führte die Kinder Israels unversehrt ans andere Ufer. Dort streckte er wieder seine Hand aus, daß die Wasser zurückfluteten und die Ägypter nicht mehr vor- noch rückwärts konnten. Die Wasser schlugen über ihnen zusammen. So ertrank der Pharao mit seiner ganzen Streitmacht. Keiner kam mit dem Leben davon. Das alles geschah am frühen Morgen. Das Volk Israel aber fürchtete Jahve und glaubte an Moses.

JAHVES WUNDER IN DER WÜSTE

Eine lange Strecke mußten die Kinder Israels mit ihren Tieren durch die Wüste ziehen, ohne daß sie Wasser fanden. Die Schafe blökten und wollten nicht weitergehen. Die Hirten mußten sie immer wieder antreiben, wobei sie vom Durst selbst erschöpft waren. Mit den anderen Tieren war es das gleiche. Das endlose Meckern der Ziegen und das Muhen der Kühe durchdrang die von Hitze flimmernde, staubige Luft. Den Hunden hing die Zunge zum Maule heraus, und selbst die Esel begannen störrisch zu werden. Das alles war für die Menschen noch schlimmer als der eigene Durst. Der Staub hinderte sie am Atmen und brannte in ihren Augen. Moses jedoch ging ihnen im Vertrauen auf den Herrn voran und trug alle Mühen in gleicher Weise. Endlich gelang-

Jahves Wunder in der Wüste

ten sie nach Mora und fanden dort Wasser. Darüber waren sie froh. Aber es war so bitter, daß sie es nicht trinken konnten. Nun murrte das Volk wider Moses. Der aber rief zum Herrn, bis er ihm ein Holz zeigte. Das warf Moses in das Wasser, und das Wasser wurde davon süß. Menschen und Tieren war es ein Labsal, und es schien ihnen, als hätten sie nie etwas Besseres getrunken. Bald danach gelangten sie nach Elim. Dort entsprangen dem Boden zwölf Quellen mit Wasser, und es wuchsen siebzig Palmen. Dort schlugen die Israeliten ihr Lager auf.

Auf dem weiten Weg zeigte die Wüste ihre ganzen Schrecken. Die Menschen sehnten sich nach den fruchtbaren Feldern am Nil, nach den Palmen und den süßen, saftigen Früchten. Vor allem aber jammerten sie nach den Fleischtöpfen und Broten Ägyptens. Sie fürchteten den Hungertod. Aber Jahve, der Herr, erbarmte sich ihrer. Am Abend flogen unzählige Wachteln zum Lager und wurden dort erjagt. Am darauffolgenden Morgen lag rings um das Lager ein Tau. Als der Morgennebel aufgestiegen war, erblickte das Volk auf dem Boden lauter feine Körnchen. Moses ließ das Volk die Körnchen sammeln. Sie schmeckten wie Honigkuchen, und alle wurden davon satt. Das Volk nannte die Körnchen Manna. Es ließ sich davon Brot backen. Das Wunder wiederholte sich nun alle Tage außer am siebten Tag der Woche, dem Sabbat. Vierzig Jahre lang aßen die Israeliten Manna.

Sie drangen immer tiefer in die Wüste und fanden wieder kein Wasser. Die Tiere begannen erneut zu toben, und auch die Menschen wußten vor Durst nicht aus noch ein und haderten deshalb mit Moses. Der rief den Herrn um Hilfe an und schlug auf dessen Geheiß mit dem Stab wider einen Fels. Wasser strömte hervor in großen Mengen, so daß alle ihren Durst löschen konnten.

Das Volk der Amalekiter versperrte den Kindern Israels den weiteren Weg. Es hatte hier in der Steppe seinen Wohnsitz. Die beiden Völker kämpften erbittert gegeneinander. Moses sah von der Höhe eines Hügels dem Kampfe zu. Wenn er seine Arme erhob, so siegten die Israeliten, ließ er sie aber sinken, so gewannen die Feinde die Oberhand. Im Laufe des Tages wurden Moses die Arme jedoch schwer und sanken herab. Nun schoben ihm sein Bruder Aaron und ein anderer Israelit einen Stein unter, daß er sich darauf setzen konnte. Sie selbst stützten seine Arme, daß sie bis Sonnenuntergang nicht herabsanken. So besiegten die Israeliten ihre Feinde mit der Schärfe ihrer Schwerter.

DIE ZEHN GEBOTE

Im dritten Monat nach dem Auszug aus Ägypten gelangten die Israeliten in die Wüste Sinai und lagerten gegenüber dem heiligen Berg, dem Horeb, wo der Herr dem Moses im Dornbusch erschienen war. Niemand außer Moses durfte den Berg betreten. Er zog einen Kreis um ihn, der nicht überschritten werden durfte. Alle mußten sich rein halten und ihre Kleider waschen. Der Berg Sinai – das ist ein anderer Name für Horeb – war aber von Rauch eingehüllt, war wie ein Schmelzofen und erbebte fortwährend, war in steter Erschütterung. Blitze zuckten und Donner rollten. Es tönte wie ein mächtiger Posaunenschall, und das ganze Volk erschrak. Moses redete und Jahve antwortete ihm im Donner. Der Herr stieg im Feuer auf die Spitze des Berges und gab Moses zehn Gebote. Sie lauteten:

1. *Ich bin der Herr, dein Gott. Du sollst keine fremden Götter neben mir haben; du sollst dir kein Bild machen, dasselbe anzubeten!*
2. *Du sollst den Namen Gottes, deines Herrn, nicht mißbrauchen!*
3. *Gedenke, daß du den Sabbat heiligst!*
4. *Du sollst Vater und Mutter ehren, auf daß es dir wohl gehe und du lange lebest auf Erden!*
5. *Du sollst nicht töten!*
6. *Du sollst nicht ehebrechen!*
7. *Du sollst nicht stehlen!*
8. *Du sollst kein falsches Zeugnis geben wider deinen Nächsten!*
9. *Du sollst nicht begehren deines Nächsten Weib!*
10. *Du sollst nicht begehren deines Nächsten Haus, Acker, Knecht, Magd, Ochs, Esel, noch alles, was sein ist.*

Während Gott, der Herr, zu Moses sprach, stand das Volk weitab vom Fuße des Berges und erbebte vor Furcht vor der Macht des Herrn, wie sie sich kundtat in den Donnerschlägen und Blitzen, dem Posaunenschall und dem rauchenden Berg. Moses aber sagte dem Volk die Gebote des Herrn. Das Volk antwortete einmütig: «Alle Gebote, die der Herr gegeben hat, wollen wir halten.» Moses schrieb alle Gebote des Herrn auf. Er errichtete am Fuße des Berges einen Altar. Brandopfer wurden dargebracht von Tieren ohne Fehl. Die Hälfte des Blutes sprengte Moses auf den Altar, mit der anderen besprengte er das Volk und sprach: «Seht, das ist das Blut des Bundes, den der Herr auf Grund der Gebote mit euch geschlossen hat.»

DAS GOLDENE KALB

Der Herr rief Moses zu sich auf den wolkenverhüllten Berg. Moses blieb vierzig Tage und vierzig Nächte dort. Der Herr sprach mit Moses. Zum Schluß gab er ihm zwei steinerne Tafeln. Auf denen standen die Gesetze, das Volk zu unterweisen. Geschrieben waren sie mit dem Finger Gottes. Weil Moses aber so lange fortblieb, geriet das Volk in Angst, und es glaubte, Moses käme nicht wieder. Alle Besinnung war den Israeliten geraubt. Sie verlangten von Aaron, er solle einen Gott machen, der vor ihnen herziehe. Aaron ließ sich die goldenen Ringe geben, die die Frauen, Söhne und Töchter in den Ohren trugen. Er schmolz sie ein, goß das Gold in eine Tonform und machte so ein goldenes Kalb. Das Volk betete das goldene Kalb als Gott an. Als Aaron das sah, baute er einen Altar, auf dem das Volk Brandopfer und Heilsopfer darbrachte. Dann aß und trank es, tanzte ausgelassen um das goldene Kalb. Was am Fuße des Berges geschah, sagte der Herr dem Moses und wollte das Volk in seinem Zorn vertilgen. Moses aber flehte den Herrn um Gnade für das Volk an, und der Herr ließ von seiner Drohung ab. Moses stieg vom Berg herab und trug die beiden steinernen Tafeln in der Hand. Die Tafeln waren zu beiden Seiten beschrieben. Die Schrift war eingegraben von Gottes Hand. Als Moses zum Fuße des Berges kam, den

Das goldene Kalb

Lärm hörte und die Reigentänze um das goldene Kalb sah, entbrannte er in furchtbarem Zorn. Er warf die Tafeln nieder, daß sie zerbrachen. Dann verbrannte er das Kalb, zermalmte es zu Pulver und streute dies auf das Wasser. Das mußten die Kinder Israels nun trinken. Alle mußten ihren Goldschmuck von sich werfen. Moses machte seinem Bruder Aaron schwere Vorwürfe. Den Söhnen Levis befahl er, ihre Schwerter zu gürten, und sie töteten auf sein Geheiß an die dreitausend Mann.

MOSES DARF GOTTES HERRLICHKEIT SCHAUEN

Moses schlug sein Zelt unterhalb des Lagers auf. Wenn er in sein Zelt hineinging, schwebte die Wolkensäule herab und stand vor dem Eingang des Zeltes. Dann wußten alle Israeliten, daß der Herr mit Moses redete, und er redete mit ihm wie mit einem Freund. Moses scheute Gottes Herrlichkeit, aber er sehnte sich danach, sie zu schauen. Da sprach der Herr zu ihm: «Ich will all meine Herrlichkeit an dir vorüberziehen lassen. Meine Gnade soll dir zuteil werden. Aber mein Angesicht vermagst du nicht zu sehen, denn es bleibt kein Mensch leben, der mich sieht.» Moses mußte sich auf einen Felsen stellen und Gott zog in aller Herrlichkeit an ihm vorüber. Er breitete dabei jedoch seine Hand schützend über Moses. Und erst als er vorüber war, nahm er sie fort, und Moses durfte ihm nachschauen.

Die Erneuerung der Gesetzestafeln

DIE ERNEUERUNG DER GESETZESTAFELN

Moses schlug auf Geheiß des Herrn zwei neue Tafeln aus Stein, die wie die ersten waren, und stieg damit auf die Spitze des Berges. Er blieb dort wieder vierzig Tage und vierzig Nächte, ohne Brot zu essen und Wasser zu trinken. Der Herr schloß einen Bund mit ihm, und Moses schrieb auf die Tafeln die Worte des Bundes, die zehn Worte. Als Moses den Berg wieder hinabstieg, gingen lichte Strahlen von seinem Antlitz aus, so daß alle sich fürchteten, sich ihm zu nahen.

DAS HEILIGE ZELT

Die Israeliten besaßen kein festes Heiligtum für ihren Gott Jahve. Einen Tempel aus Stein konnten sie nicht errichten, weil sie auf Wanderschaft waren. Sie selbst lebten in ihren Zelten. Auf Geheiß und genaue Anweisung Jahves ließ Moses die Israeliten ein heiliges Zelt errichten. Das konnte man jederzeit auf- und abbauen. Voll Eifer trugen die Kinder Israels alles herzu, was für den Bau des Zeltes nötig war. Ihren eigenen Goldschmuck schenkten sie ohne Zögern. Ihr Herz trieb sie dazu. Aus gezwirntem Byssus, aus blauem und rotem Purpur und aus Karmesin webten die Israeliten die Teppiche und hefteten sie aneinander mit Schleifen und goldenen Haken. Die Kunstweber webten in die Teppiche Cherubim, Palmen und Blumen. Das Zeltdach schufen sie aus Teppichen von Ziegenhaar. Da wurden viele Schleifen und Haken daran befestigt, damit alles hielt. Zu dem Zeltdach gehörte auch eine Decke aus rotgefärbten Widderfellen. Seehundfelle waren darein verarbeitet. Aus

Akazienholz sägten die Zimmerleute lauter Bretter zurecht für die Wände. Die Bretter waren so, daß man sie ineinander setzen konnte. Eine Reihe von Brettern wurde mit Gold überzogen und mit silbernen Fußgestellen versehen. Dann webten die Kunstweber zwei prächtige Vorhänge, einen für den Eingang zum Zelt und einen für den Eingang zum Allerheiligsten. Auf Säulen von Akazienholz, überzogen mit Gold, ruhten die Querstangen für die Vorhänge. Moses freute sich, als er sah, daß alles gut wurde.

Im Allerheiligsten stand die Lade des Herrn. Das war ein innen und außen vergoldeter Kasten. Er war mit zwei Tragestangen versehen. Moses legte in die Lade die zwei steinernen Gesetzestafeln, die den mit Gott geschlossenen Bund enthielten. Deshalb nannten die Israeliten sie Bundeslade. Auf ihrem Deckel waren zwei Cherubim ganz aus Gold. Sie saßen einander gegenüber und breiteten ihre Flügel über die Lade. Es war eine Treibarbeit der Goldschmiede.

In das Heiligtum wurde ein mit Gold überzogener Tisch gestellt. Darauf lagen zwölf Schaubrote aus ungesäuertem Mehl, und daneben stand eine Schale für den Wein. Ein siebenarmiger Leuchter aus reinstem Gold wurde getrieben. Jeder Arm endete in einem Kelch für das Öl. Der Leuchter schimmerte in seinem Zauber. Dazu gehörte auch noch ein Räucheraltar.

Um das heilige Zelt ließ Moses einen großen Vorhof bauen aus Umhängen, die zwischen Säulen hingen. Dort stand ein Brandopferaltar aus Erz und die Waschbecken für die Priester, ebenfalls aus Erz.

Als alles fertig war, salbte Moses alles Gerät mit Öl. Die Wolkensäule Jahves stand über dem Zelt. Und so oft Moses ihm nahen wollte, ging er ins Allerheiligste.

DER GOTTESDIENST IM HEILIGTUM

Moses weihte seinen Bruder Aaron zum Hohenpriester, dessen Söhne zu Priestern und die übrigen aus dem Stamme Levi zu Dienern im Heiligtum. Diese nannte man Leviten. Aarons Priestergewand war genäht aus Gold, Purpur und Leinwand. Der Saum des Gewandes war mit Granatäpfeln bestickt, und dazwischen hingen goldene Glöckchen, deren Klang man bei jedem Schritt Aarons hörte. Moses hängte ihm ein Brustblatt um, in das waren die Namen der zwölf Stämme Israels auf zwölf verschiedenen Edelsteinen eingegraben. Und Aaron trug einen Kopfbund, an dem ein goldenes Stirnblatt hing, auf dem stand geschrieben: «Dem Herrn geweiht.»

Und Moses ordnete auf Geheiß des Herrn verschiedene Opfer an. Es gab Blutopfer; dazu wurden fehlerlose Rinder, Schafe, Ziegen und Tauben genommen. Und es gab Speise- und Trankopfer; dazu wurden ungesäuertes, feines Mehl und Wein genommen. Es gab Brandopfer, die ganz auf dem Altar verbrannt wurden, und es gab Dank-, Bitt- oder Versöhnungsopfer, bei denen nur das Fett auf dem Altar verbrannt wurde, das übrige wurde aber gegessen.

DER AUFBRUCH VOM SINAI

Im zweiten Jahr hob sich die Wolke über dem heiligen Zelt, der Stiftshütte, der Wohnung des Gesetzes. Die Israeliten brachen ihr Lager ab, luden wieder all ihre Habe auf die Karren, die Esel und Kamele. Und die Herden kamen wieder in Bewegung. So setzten die Israeliten ihren Zug durch die Wüste fort. Das Volk begann wegen der Not in der Wüste, wegen der Kargheit des Landes wieder zu murren. Der Herr entbrannte deswegen in Zorn und ließ Feuer aus der Erde lodern. Dabei verbrannte das Ende des Lagers, die gerade abgeschlagenen Zelte. Das Volk schrie in Angst. Moses betete zum Herrn, bis das Feuer erlosch.

Aber der Kummer der Kinder Israels blieb, und es dauerte nicht lange und sie jammerten wieder nach den ägyptischen Fleischtöpfen und nach allem, was es sonst im Lande am Nil gegeben hatte: nach den Fischen, den wohlschmeckenden Gurken und Melonen, nach den Zwiebeln und dem Knoblauch. Die Kinder Israels mochten nicht immer nur Manna essen. Es war ihnen über. Da erbarmte sich der Herr ihrer. Er sandte einen starken Wind, der brachte vom Meer her unzählige Wachteln und warf sie über das Lager in einem weiten Umkreis. Es waren so viele, daß sie teilweise zwei Ellen hoch lagen. Viele der Israeliten konnten ihre Gier nicht bezähmen und verschlangen das noch rohe Fleisch. Deshalb traf sie der Zorn des Herrn, und sie starben an einer Seuche.

DIE KUNDSCHAFTER

Auf Geheiß des Herrn sandte Moses ein paar Männer voraus. Sie sollten das Land Kanaan auskundschaften. Die Kundschafter kehrten nach vierzig Tagen zurück. Sie trugen zu zweit auf den Schultern eine Stange mit einer Rebe voller Weintrauben und sie brachten Granatäpfel und Feigen mit. Die Kundschafter sprachen: «Wir wanderten durch das Land, wo Milch und Honig fließen. Dort herrscht Überfluß. Aber es wohnt dort ein starkes Volk in ummauerten und großen Städten. Die Bewohner sind hoch und breit gewachsen. Wir erblickten sogar Riesen. Als wir sie sahen, kamen wir uns vor wie Heuschrecken, so klein.»

Als das die Israeliten hörten, erschraken sie, Angst ergriff das Volk, und es schrie und jammerte die ganze Nacht. Viele Tränen wurden geweint. Am Morgen murrten die Israeliten wider Moses und Aaron und sprachen: «Ach, wären wir doch in Ägypten oder auch in der Wüste gestorben. Warum sollen wir jetzt in ein Land gehen, wo unsere Frauen und Kinder, wo wir alle durch das Schwert zu Tode kommen? Ist es nicht besser, wir ziehen nach Ägypten zurück?» Und sie taten sich zusammen und wollten sich einen neuen Führer wählen. Moses und Aaron warfen sich vor der ganzen Versammlung der Israeliten in den Staub auf ihr Angesicht und versuchten sie umzustimmen. Josua und Kaleb, zwei der Kundschafter, zerrissen ihre Kleider und riefen: «Durch ein schönes, ein fruchtbares Land sind wir gezogen. Es fließt dort Milch und Honig. Der Herr ist mit uns. Wir können ihm vertrauen. Aus wieviel Not hat er uns nicht schon geführt! Mit seiner Hilfe werden wir alle Feinde besiegen.» Die Versammlung der Israeliten wollte die beiden daraufhin steinigen, weil sie den anderen Kundschaftern nicht nach dem Mund redeten.

Plötzlich war der Herr in all seiner Macht und Herrlichkeit vor dem Zelt, um alle Israeliten mit der Pest zu schlagen und zu verderben, als wären sie ein Mann. Aber

Die Kundschafter mit den Trauben

Moses flehte zum Herrn, den Abtrünnigen ihre Schwäche zu verzeihen. Der Herr antwortete: «Dem Volk will ich vergeben, weil du mich darum gebeten hast. Aber alle Männer, die aus Ägypten stammen, werden das gelobte Land nie erreichen bis auf meine beiden treuen Diener Josua und Kaleb. Alle andern werden ihren Tod in der Wüste finden. Denn vierzig Jahre soll euer Zug durch die Wüste dauern.» Als der Herr gesprochen hatte, stürzten die ungetreuen Kundschafter tot zu Boden. Als Moses die Worte des Herrn an das Volk weitergab, waren alle zutiefst im Herzen betrübt. Eine große Schar des Volkes machte sich am nächsten Morgen auf, stieg auf die Höhe des Gebirges und wollte von da in das gelobte Land ziehen. Der Herr aber war nicht mit ihnen. Moses verließ das Lager nicht, die Bundeslade blieb bei ihm. Die Volksstämme, die im Gebirge wohnten, trieben die Israeliten zurück und ließen nicht einen hindurch.

AUFRUHR UND UNTERGANG DER ROTTE KORAH

Unter den Leviten, den Dienern im Heiligtum des Herrn, war einer, der hieß Korah. Dieser stiftete heimlich mit zweihundertfünfzig führenden Männern Israels einen Aufruhr an. Sie trafen sich bei Nacht und schworen einander, Moses und Aaron die Führerschaft zu rauben. Sie beratschlagten lange miteinander. Der unbeherrschte Korah trieb sie immer wieder an. So entschlossen sie sich zur Tat, empörten sich offen gegen Moses und Aaron und sprachen: «Jetzt ist es genug. Denn die ganze Gemeinde ist heilig, alle miteinander, und der Herr ist mitten unter ihnen. Warum erhebt ihr euch über die Gemeinde des Herrn?» Moses warf sich in den Staub auf sein Angesicht, als er dies hörte, und sprach zu Korah und zur ganzen Rotte der Aufrührer: «Morgen wird der Herr ein Zeichen geben, wer zu ihm gehört und wer heilig ist. Wen er erwählt, der soll zu ihm dürfen. Bringt eure Räucherpfannen mit Feuer und legt vor dem Herrn Räucherwerk darauf. Wen dann der Herr erwählt, der ist heilig.» So geschah es. Am anderen Tag kamen die zweihundertfünfzig Verschwörer mit ihrem Räucherwerk. Nur Korah und die zwei anderen Haupträdelsführer blieben fern. Die drei blieben zu Hause bei ihren Familien. Moses zögerte nicht und ging zu ihnen hin, ihren Aufruhr zu strafen. Er rief zum Herrn. Der Herr spaltete das Erdreich unter den Aufrührern, daß sie mitsamt ihren Familien und all ihrer Habe verschlungen wurden. Die Erde deckte sie zu. Zu gleicher Zeit fuhr ein Feuer vom Himmel herab auf die Aufrührer mit ihren Räucherpfannen. Sie verbrannten alle.

DER GRÜNENDE STAB AARONS

Der Herr wollte vor allen Israeliten ans Licht bringen, wer der rechte Hohepriester sei. Auf sein Geheiß ließ sich Moses von jedem Anführer der zwölf Stämme einen Stab geben. Nun schrieb Moses den Namen eines jeden Anführers auf den betreffenden Stab, ritzte ihn sorgfältig in das Holz ein. Auf den Stab vom Stamme Levi schrieb er den Namen Aaron. Dann legte er die Stäbe vor die Bundeslade im heiligen Zelt nieder. Am anderen Morgen schaute er nach den Stäben. Der Stab Aarons hatte grüne Schossen getrieben, blühte und trug reife Mandeln. Moses trug die Stäbe vor das Zelt und zeigte den Israeliten das Wunder. Dann gab er den Anführern ihre Stäbe zurück. Nur den ergrünten Stab Aarons legte er wieder vor die Bundeslade. Die Israeliten hörten auf zu murren und bereuten ihre Zweifel und ihren Kleinmut.

Aarons grünender Stab

MOSES' ZWEIFEL

Die ganze Gemeinde der Israeliten gelangte in die Wüste Zin. Als aber nirgends Wasser zum Trinken war, rottete sie sich wieder gegen Moses und Aaron zusammen. Die Israeliten begehrten auf und haderten mit Moses, denn sie waren der jahrzehntelangen Wanderung müde und waren verbittert, daß kein Wasser floß. Sie sehnten sich nach süßen Feigen und leuchtenden Granatäpfeln. Aber nun fanden sie nicht einmal Wasser. Es gab aber dort einen Fels. Auf Geheiß des Herrn nahm Moses seinen Stab. Er zweifelte jedoch einen Augenblick und sprach zu den Israeliten: «Ihr Halsstarrigen, kann ich für euch wohl Wasser aus dem Felsen hervorquellen lassen?» Dann schlug er zweimal wider den Fels, und es strömte Wasser in Fülle heraus. Die Kinder Israels und alles Vieh tranken sich satt. Danach sprach der Herr zu Moses und Aaron: «Weil ihr nicht an mich geglaubt habt, sollt ihr das Volk nicht in das Land bringen, das ich ihm bestimmt habe.»

Nicht weit von dem Felsen mit dem Haderwasser starb Aaron. Moses zog ihm sein Priestergewand aus und legte es Aarons Sohn an. Das Volk Israel weinte um Aaron dreißig Tage lang.

Bileams Segen

DIE EHERNE SCHLANGE

Die Israeliten zogen wieder in der Wüste hin und her. Sie waren es von Tag zu Tag mehr leid, und es fielen gegen Moses böse Worte. Das kärgliche Leben war ihnen ein Verdruß. Das Manna ekelte sie. Nach Ägypten sehnten sie sich. Zornig sandte der Herr feurige Schlangen unter das Volk. Die bissen mit ihrem Gift viele Israeliten zu Tode. In Angst drängte sich das Volk zu Moses und bat ihn in Reue um Hilfe. Moses steckte auf Geheiß des Herrn eine eherne Schlange an einen Pfahl. Wer nun von einer Schlange gebissen wurde und dann die eherne Schlange anschaute, der blieb am Leben und wurde geheilt.

BILEAMS SEGEN

Danach überquerten die Israeliten den Jordan gegenüber Jericho. Dort lebte das Volk der Moabiter. Die gerieten in Angst, als sie die vielen Israeliten sahen. Ihr König Balak ließ dem Seher und Wahrsager Bileam eine Botschaft zukommen, die lautete: «Ein zahlreiches Volk will durch mein Land ziehen. Verfluche es, damit ich es im Kampf besiege! Denn ich weiß, wen du verfluchst, der muß erliegen, und wen du segnest, dem wird Heil zuteil.» Aber in der Nacht sprach Gott zu Bileam: «Das Volk darfst du nicht verfluchen, denn ich habe es gesegnet.» Daraufhin weigerte sich der Seher zum König Balak zu kommen.

Da schickte der König ein zweites Mal Boten zu ihm. Wieder wollte er nicht mitziehen. Aber der Herr sprach zu ihm in der Nacht: «Ziehe mit den Boten, aber tue, was ich dir sagen werde.» Nun erst sattelte Bileam seine Eselin und ritt los. Aber als er auf seiner Eselin daherritt, trat der Engel des Herrn der Eselin mit einem gezückten Schwert entgegen. Da wich sie vom Weg ab und ging auf dem Feld. Daraufhin schlug Bileam die Eselin, um sie wieder auf den rechten Weg zu bringen. Zwischen zwei Weinbergen ritt er einen Hohlweg entlang. Zu beiden Seiten war eine Mauer. Der Engel des Herrn trat der Eselin in dem Hohlweg entgegen. Sie drückte sich an die Mauer und quetschte dabei Bileams Fuß mit ein. Der schlug sie wieder mit seinem Stock. Der Engel des Herrn ging wieder ein Stück voraus und wartete an einer Stelle, wo es kein Ausweichen gab. Die Eselin legte sich auf den Boden nieder. Bileam entbrannte vor Zorn und schlug sie mit dem Stock. Nun fügte es der Herr, daß die Eselin sprechen konnte. «Warum hast du mich nun schon dreimal geschlagen, habe ich dir doch nie etwas Böses getan?» sagte sie. Dem Bileam öffnete der Herr die Augen und er sah den Engel mit dem gezückten Schwert stehen. Er warf sich zu Boden. Der Engel sprach zu ihm: «Warum trittst du deine Reise so überstürzt an? Wäre die Eselin nicht vor mir gewichen, so hätte ich dich getötet und sie am Leben gelassen.» Bileam sprach: «Ich habe gesündigt, aber ich sah dich nicht. So will ich denn wieder zurückkehren.» Aber der Engel sprach: «Nun geh nur zu, aber tue das, was der Herr dir sagt.» So ritt Bileam zum König Balak. Der ritt ihm bereits entgegen und führte ihn auf einen Berg. Von dort aus sah er die Israeliten. Es war eine riesige Schar. Bileam hob seine Hände empor und segnete die Israeliten. Dazu gab ihm der Herr die Worte in den Mund. Der König Balak führte den Seher noch an zwei andere Stellen, wo er das Volk Israel sah. Aber er konnte es nur segnen. König Balak wandte sich erbittert von ihm, und Bileam kehrte sogleich wieder heim.

MOSES' TOD

Als Moses wußte, daß die Stunde seines Todes nahe war, segnete er das Volk Israel und bestimmte Josua zu seinem Nachfolger. Er sollte die Kinder Israels in das gelobte Land führen. Dann verließ er die Kinder Israels und stieg auf Geheiß des Herrn auf den Berg Nebo. Der Berg lag gegenüber der Stadt Jericho. Von hier aus schaute Moses auf das gelobte Land, das der Herr für das Volk Israel bestimmt hatte. Moses schaute die grünen Weinberge und fruchtbaren Täler mit Korn. Er sah, daß alles gut war. Gott, der Herr, sprach zu ihm: «Deinen Nachkommen will ich dieses Land geben. Ich habe es dich mit Augen schauen lassen, aber dort hinüber sollst du nicht kommen.» Moses starb dort auf dem Berg nach den Worten des Herrn. Der Herr begrub ihn im Tale. Niemand kennt sein Grab bis auf den heutigen Tag. Er war hundertzwanzig Jahre alt, als er starb. Seine Augen waren nicht trüb geworden. Die Israeliten aber beweinten Moses dreißig Tage lang.

DIE RICHTER

KANAAN, DAS GELOBTE LAND

Nach Moses' Tod schlugen sie ihre Zelte ab und ordneten wieder ihren langen Zug mit der Bundeslade an der Spitze. Josua, vom Herrn dazu erwählt, führte sie. Er war ein Gerechter, war in der Wüste geboren, wie alle nun noch lebenden Israeliten. Vierzig Jahre lang mußte das Volk Israel in der Wüste seinen Weg suchen, mußte es erst viele Prüfungen bestehen. Nun lag der Weg in das gelobte Land offen vor ihm. Der rechte Augenblick war da. Zwei Kundschafter schickte Josua zu der Stadt Jericho. Sie schlichen heimlich in die Stadt in das Haus der Dirne Rahab. Sie wollten in dem Haus übernachten, waren jedoch bemerkt worden. Daraufhin schickte der König von Jericho seine Diener zu Rahab, um die beiden Fremden zu holen. Rahab hatte jedoch erkannt, daß Gott, der Herr, mit dem Volke Israel war. Deshalb verbarg sie die beiden Männer auf dem Dachboden unter einem Haufen Flachs. Die Boten des Königs wies sie in die Irre. Diese rannten aus der Stadt den Fluß Jordan aufwärts, wie es ihnen Rahab geraten hatte. Nun mußten ihr die beiden Kundschafter Schonung und Sicherheit schwören. Ihr selbst und allen ihren Verwandten durfte kein Unrecht geschehen. Mit den beiden Kundschaftern verabredete sie ein Erkennungszeichen, und diese stahlen sich bei Nacht aus der Stadt und gelangten heil zu Josua, dem sie alles Erlebte getreulich berichteten.

Als nun das Volk Israel zum Jordan gelangte, hielt es inne. Den Priestern, die die Bundeslade trugen, wurden von den Wassern des Jordan die Füße genetzt. Die dahinströmenden Wasser blieben stehen, türmten sich auf zu einer hohen Mauer und die unteren Wasser verloren sich im Land. Das Volk Israel konnte trockenen Fußes zum anderen Ufer des Flusses gelangen, ganz so wie bei Beginn des Auszuges aus Ägypten, bei dem Zug durch das Schilfmeer. Damals war das Volk Israel in die Wüste gezogen, jetzt betrat es das gelobte Land. An der Stelle, wo die Priester mit der Bundeslade gestanden hatten, wo der Abdruck ihrer Füße im feuchten Sand war, ließ Josua zwölf Gedenksteine errichten.

DIE EROBERUNG JERICHOS

Die Stadt Jericho schützten hohe Mauern, und ihre Bewohner schlossen alle Tore, als das Volk Israel heranzog, sein Lager aufbaute und die Stadt belagerte. Es zog mit der Bundeslade um die Stadt, lautlos zog es seine Kreise um Jericho, an sechs Tagen jeweils einmal und am siebten Tag siebenmal. Die Priester stießen in ihre Posaunen aus Widdergehörn. Am siebten Tag fielen die Israeliten mit ihrem Feldgeschrei ein. Da stürzte die Mauer in sich zusammen, und die Israeliten brachen über die Trümmer in die Stadt. Sie schonten niemand, verbrannten alles und machten die Häuser dem Erdboden gleich. Alles Gold, Silber und Eisen, das sie fanden, bargen sie im Hause des Herrn. Nur der Dirne Rahab mit ihrer Familie und allen ihren Angehörigen geschah kein Leid. Kein Haar wurde ihr gekrümmt. Rahab hatte als Zeichen ein rotes Band aus ihrem Hause herausgehängt.

ACHANS DIEBSTAHL

Nach dem Fall von Jericho schickte Josua dreitausend Mann vorweg zu der Stadt Ai. Diese dreitausend Mann wurden jedoch in die Flucht geschlagen, daß es zum Erbarmen war und das Volk allen Mut verlor. Josua zerriß sein Gewand und warf sich vor der Lade des Herrn in den Staub. Als er im Jammer schrie, sprach der Herr: «Richte dich auf! Einer der Israeliten hat etwas von der Beute, von dem Gebrannten gestohlen und verbirgt es unter seiner Habe. Unrein ist er, ein Dieb und ein Räuber.» Auf Geheiß

Die Eroberung Jerichos

des Herrn ließ Josua am nächsten Morgen das ganze Volk Israel vor sich treten, geordnet nach Stämmen, diese nach Geschlechtern. Das Los wurde geworfen, und es traf den Stamm Juda. Wieder wurde das Los geworfen und traf das Geschlecht der Serahiter, das Haus Sabdis, und hier traf es den Mann Achan. Der wurde von Josua zur Rede gestellt, konnte nicht leugnen und gestand seine Missetat. Einen herrlichen Mantel, Silber und einen goldenen Stab hatte er gestohlen und in seinem Zelt vergraben. Man fand das versteckte Gut. Achan wurde aus dem Lager geführt und gesteinigt. Ein Steinmal wurde über seinem Leichnam errichtet.

DIE LIST DER GIBEANITEN

Von den ununterbrochenen Siegen der Kinder Israels hörten die Bewohner von Gibeon im Lande Kanaan und verfielen auf eine List, um sich zu retten. Sie kleideten sich wie Bettler in zerschlissene Kleider, zogen sich geflickte Schuhe an und legten ihren Eseln geflickte Weinschläuche auf und alte Säcke mit hartem, zerbröseltem Brot. So kamen sie zu den Israeliten, jammerten laut, baten um Hilfe und riefen: «Aus einem fernen Lande kommen wir, schließt mit uns einen Bund.» Die Israeliten wollten ihnen zuerst nicht glauben. Schließlich aber schlossen Josua und die Obersten des Volkes, ohne erst den Herrn zu fragen, einen Bund mit den Bittenden und schworen, sie am Leben zu lassen mit all ihrem Volke. Nach drei Tagen kam die List der Gibeaniten ans Licht, aber die Israeliten hatten bereits Freundschaft geschworen und wagten es nun nicht, den Schwur zu brechen. Josua war voll Zorn und bestimmte die Gibeaniten zu Holzhauern und Wasserschöpfern. Und so geschah es.

DIE SCHLACHT BEI GIBEON

Fünf Könige des Landes schlossen sich wider Israel zusammen, um die Stadt Gibeon zurückzugewinnen. Es kam zu einer Schlacht, die die Israeliten gewannen. Die Feinde flohen. Der Herr ließ Hagelstücke vom Himmel auf die Erde fallen, so daß viele starben. Josua aber sprach laut: «Sonne von Gibeon stehe still! Und Mond vom Tal Ajjalon.» So geschah es. Keiner der Feinde konnte sich vor dem Schwerte Israels retten. Die fünf Könige versteckten sich in einer Höhle, wurden aber entdeckt, und Josua ließ einen großen Stein vor den Eingang wälzen. Als der Kampf beendet war, ließ er die Höhle wieder öffnen. Die fünf Könige wurden gefangen herausgeführt. Der Fuß wurde ihnen auf den Nacken gesetzt, und sie wurden getötet. Der Eingang der Höhle wurde für immer mit einem schweren Stein verschlossen. So eroberten die Kinder Israels das gelobte Land, so wie es ihnen von Moses verheißen worden war. Der greise Josua verteilte alles Land an die zwölf Stämme Israels. Jeder der zwölf Stämme bekam ein besonderes Stück, so wie es ihm gemäß war. Als sich der Tod Josua nahte, ermahnte er das Volk, dem Herrn in Treue zu dienen und keinen anderen Göttern. Er war hundertzehn Jahre alt, als er starb.

Die Schlacht bei Gibeon

DIE RICHTER

Solange Josua und die Ältesten noch lebten, diente das Volk treu dem Herrn. Als dann aber alle gestorben waren, die die Wüstenwanderung miterlebt hatten, griff im Volk Israel eine tiefe Unsicherheit um sich. Scheu und in Angst blickte es zu den fremden Götterbildern mit all ihrer Macht und Pracht. Vor allem dienten und opferten die anderen Völker dem Gotte Baal. Arm und hilflos kamen sich die Kinder Israels vor. Schließlich fielen sie vom Herrn ab, ahmten die fremden Völker nach und verloren so allen Halt. Aber nun fehlte ihnen die Hilfe des Herrn und sie gerieten dadurch in große Not, denn die Feinde waren zahlreich. Endlich brachte sie die Not zur Besinnung und Umkehr. Sie schrieen um Hilfe zum Herrn, und er half ihnen. Von Zeit zu Zeit ließ er ihnen einen Retter erstehen, der sie aus der Hand der Feinde befreite. Diese Retter nannte man Richter. Sie brachten das Leben des Volkes wieder ins rechte Lot.

DER RICHTER EHUD

Einmal wurden die Israeliten von dem König von Moab beherrscht und geknechtet. Er setzte ihnen den Fuß auf den Nacken, und sie mußten ihm Tribut entrichten. Der Richter Ehud sollte ihn bringen. Er schmiedete sich aber vorher ein zweischneidiges Schwert und gürtete es sich unter dem Gewand an der rechten Hüfte, denn er war Linkshänder. Als er zusammen mit seinen Leuten den Tribut abgeliefert hatte, schickte er diese auf den Heimweg. Er selbst kehrte um und sprach zu dem König: «Ich will dir etwas Geheimes sagen, o König.» Da schickte der König alle aus dem oberen Gemach seines Hauses und setzte sich auf seinen Stuhl. Er war aber über die Maßen feist und fett. Ehud sprach: «Ich habe einen Gottesspruch für dich.» Der König stand auf. Da stieß ihm Ehud rasch sein Schwert so tief in den Bauch, daß nicht einmal der Knauf mehr heraussah. Dann trat er heraus, schloß hinter sich die Türe, verriegelte sie und eilte davon. Als die Diener kamen, konnten sie nicht eintreten. Sie warteten, verloren schließlich die Geduld und schlossen die Türe auf. Ihren Herrn fanden sie tot auf dem Boden liegend. Ehud war inzwischen geflohen, sammelte die Israeliten um sich, und unter Posaunenstößen stiegen sie das Gebirge hinab, überfielen die Moabiter und besiegten sie.

DIE RICHTERIN DEBORAH

Einmal vergaßen die Israeliten wieder den Herrn und fielen deshalb in die Hand des Königs von Kanaan, der sie knechtete. Er besaß neunhundert eiserne Kampfwagen. Nun schrien die Kinder Israels in ihrer Not um Hilfe zum Herrn. Unter ihnen sprach eine Prophetin Recht, das Weib Deborah. Sie hatte ihren Sitz unter einer aufrechten, früchtereichen Dattelpalme mit Blättern wie weit ausgreifende Fächer. Sie weissagte den Ihren den Sieg, rief sie zum Kampf auf und begleitete selbst das Heer, denn ohne sie waren die Krieger mutlos. Der Feind zog mit seinen eisernen Wagen den Israeliten entgegen. Aber der Herr verwirrte die Feinde. Sie flohen kopflos und wurden dabei alle getötet.

Nur ihr Anführer sprang von seinem Wagen herunter, floh zu Fuß weiter und erreichte ein Zelt, in dem eine Frau das Geschirr putzte. Die bot ihm ihre Hilfe an. Sie deckte ihn in dem Zelte mit einer Decke zu und schob dem Ermatteten einen Milchschlauch unter die Decke. Der trank und schlief erschöpft ein. Nun nahm die Frau einen Zeltpflock und schlug ihn mit dem Hammer durch die Schläfe des Schlafenden bis tief in den Erdboden hinein. Als die Verfolger in das Zelt traten, zeigte sie ihnen den Toten. Nach diesem Sieg stimmte die Prophetin Deborah ein Siegeslied an.

Die Richterin Deborah

DER RICHTER GIDEON

Wieder taten die Israeliten, was dem Herrn mißfiel. Da gab er den Midianitern Macht über sie. Diese verwüsteten das Land jedes Mal, wenn die Saat hervorsproß. So war alles Pflügen und Säen umsonst. Das Getreide konnte nicht reifen. Auch raubten die Feinde alles Vieh: Schafe und Rinder, was immer sie fanden, und trieben es davon. Die Kinder Israels flehten den Herrn um Hilfe. Und der Herr berief den Helden Gideon zum Richter.

Dies geschah durch den Engel des Herrn unter einer mächtigen, dunkelblättrigen Eiche, als Gideon gerade in seinem Keller die Weizenkörner ausklopfte, um sie vor den Feinden zu verstecken. Gideon zauderte und bat den Herrn um ein Zeichen. Dann richtete er ein Mahl mit einem Ziegenböcklein und ungesäuertem Brot. Auf Geheiß des Engels legte er das Fleisch auf einen Felsen und goß die Brühe darüber. Nun berührte der Engel mit seinem Stabe das Fleisch und das Brot. Plötzlich schlug Feuer aus dem Felsen und verzehrte beides. Während das alles geschah, verschwand der Engel des Herrn. Gideon begann sich zu fürchten und errichtete an der Stelle einen Altar. Nun führte Gideon alles aus, was ihm der Herr befahl. In der nächsten Nacht stieg er mit zehn Knechten und einem Stier den Berg hinauf. Etwas unterhalb der Kuppe ließ er die Knechte zurück und stieg allein weiter. Er zerstörte den Baalsaltar, so daß kein Stein auf dem anderen blieb. Dann erbaute er für den Herrn einen neuen Altar, denn er sollte ein Brandopfer bringen. Nicht weit stand auch ein Bildnis der Göttin Aschera ganz aus Holz. Das schlug er um, zerspaltete es und schichtete die Scheite auf dem Altar auf. Danach brachte er den Stier als Brandopfer dar. Dies alles tat er bei Nacht aus Angst vor den Leuten. Die wollten Gideon töten, als die Tat ruchbar wurde. Aber Gideons Vater sprach zu ihnen: «Warum streitet Baal nicht selbst für seinen Altar? Er ist doch ein Gott!» Da ließen sie Gideon in Frieden.

Der Richter Gideon

Unterdes scharten sich die Feinde zusammen, um das Land zu plündern. Gideon schickte Boten zu den anderen Stämmen, um ein Heer zu sammeln. Dann bat er den Herrn wieder um ein Zeichen. Dazu legte er auf seine Tenne einen Haufen Wolle. Die sollte sich in der Nacht voll Tau saugen, alles andere aber sollte trocken bleiben. So geschah es. Als er am anderen Morgen die Wolle ausdrückte, tropfte Tauwasser heraus, eine ganze Schale voll Wasser. Ringsum aber war alles trocken. Doch zauderte Gideon noch immer und erbat vom Herrn ein zweites Zeichen, und zwar das Gegenteil des ersten. Auch das geschah so in der nächsten Nacht. Überall fiel reichlich Tau, nur die Wolle blieb trocken. Diese Zeichen stärkten Gideon den Mut.

In kurzer Zeit hatten sich sehr viele Israeliten in dem Lager zusammengefunden. Ihre Anzahl war größer als die der Feinde. Auf Geheiß des Herrn schickte Gideon alle nach Hause, die sich fürchteten. Da kehrten zweiundzwanzigtausend Mann in ihren Heimatort zurück und nur zehntausend blieben. Danach befahl Gideon, jeder solle seinen Durst am Fluß löschen. Da knieten die einen nieder und schöpften das Wasser mit der hohlen Hand, um zu trinken. Die anderen leckten das Wasser nur, so wie die Hunde es tun. Dies waren dreihundert Mann. Die stellte Gideon beiseite. Alle anderen schickte er zu ihren Zelten.

Das Lager der Midianiter lag in der Ebene. Im Schutze der Nacht schlich Gideon bis dicht heran. Niemand bemerkte ihn. Er verbarg sich vor den Blicken der Wächter. Am Himmel funkelten die Gestirne. Gideon erkannte die Kamele mit ihren auf- und niederwogenden Bewegungen. Die Midianiter schienen ihm zahllos. Zwei Krieger standen am Rande des Lagers und unterhielten sich miteinander. Der eine sprach: «Mir träumte, ein Gerstenbrot rollte in unser Lager bis in die Mitte, traf das Zelt und warf es um.» Darauf sagte der andere: «Das Gerstenbrot ist das Schwert Gideons. Gott hat uns in seine Hand gegeben.» All dies hörte Gideon. Er schlich wieder unbemerkt zurück und weckte die Seinen auf. Er teilte die dreihundert Mann in drei Schlachthaufen ein. Jedem Kämpfer gab er eine Posaune und einen Krug in die Hand. In den Krügen waren brennende Fackeln verborgen. Die drei Abteilungen marschierten schweigend fast bis zu dem feindlichen Lager hinunter. Dort zog Gideon die Männer zu einer langen Kette auseinander. Dann stießen alle auf einmal in die Posaunen, brachen in ein lautes Geschrei aus, zerschlugen ihre Tonkrüge und hielten die brennenden Fackeln hoch, blieben aber stehen. Da entstand im Lager eine furchtbare Verwirrung. Jeder richtete das Schwert gegen seinen Nächsten. So metzelten sich viele gegenseitig nieder. Dann floh das Heer kopflos in großer Hast. Nun ließ Gideon die Israeliten in den Zelten zu Hilfe rufen, die Midianiter zu verfolgen. So geschah es. Kaum einer der Feinde entkam.

Die Israeliten hätten Gideon gerne zu ihrem König gekrönt. Sie hatten bisher noch nie einen König gehabt. Aber Gideon lehnte die Krone ab. Schließlich verlangte er all die goldenen Ringe, die sie von den Feinden erbeutet hatten. Die gaben sie ihm. Es war ein Gewicht von tausendsiebenhundert Lot Gold. Aus dem Gold ließ Gideon ein Bildnis, ein Ephod gießen. Das stellte er in der Mitte seiner Stadt auf. Ganz Israel trieb damit seine Abgötterei. Gideon und seinem ganzen Haus sollte dieser Götzendienst zum Fallstrick werden. Gideon selbst starb im hohen Alter.

ABIMELECH

Nach dem Tode Gideons ging sein Sohn Abimelech zu den Bewohnern von Sichem und sprach zu ihnen: «Seht, mein Vater Gideon hat siebzig Söhne gezeugt. Aber sie können nicht alle über euch herrschen, sondern nur einer. Wir sind Stammesgenossen. Ich stehe euch näher als meine Brüder.» Dem stimmten die Leute von Sichem zu und gaben ihm siebzig Lot Silber aus dem Tempel Baals. Mit dem Geld dingte sich Abimelech eine freche, lose Rotte von Männern. Das war sein Gefolge. Er ging mit ihnen zu seines Vaters Haus und ermordete auf einem Stein alle seine Brüder. Nur dem jüngsten Bruder Jotham gelang es zu entkommen. Abimelech aber wurde zum König erhoben. Als er drei Jahre geherrscht hatte, ließ Gott zwischen ihm und den Bewohnern von Sichem einen bösen Geist treten. Die Bewohner zettelten einen Aufstand an, und als Abimelech mit seinem Heer gegen sie anrückte, stellten sie sich ihm auf dem Felde zur Schlacht. Er gewann jedoch die Überhand und trieb sie in die Stadt zurück, die er eroberte. Er tötete alle, die er nur fand, zerstörte die Häuser und streute Salz über sie hin. Nur die Burg konnte er nicht einnehmen. Die Insassen versammelten sich in dem Gewölbe des Tempels, der zu der Burg gehörte. Dies wurde Abimelech hinterbracht. Da hieben er und alle seine Leute mit der Axt Buschwerk ab, legten es auf das Gewölbe und steckten es in Brand. So mußten alle Insassen der Burg ersticken, Männer und Frauen.

Danach belagerte Abimelech die Stadt Thebez und nahm sie ein. Aber die Burg in der Mitte konnten die Bewohner halten. Abimelech bestürmte sie mit seinen Kriegern. Als er mit eigener Hand den Eingang der Burg in Brand setzen wollte, zerschmetterte ihm eine Frau mit einem Stein den Schädel. Da schrie er nach seinem Waffenträger, der mußte ihn mit dem Schwerte totstechen, denn er wollte nicht durch eine Frau den Tod finden. Nach seinem Tod ging jeder Israelit zurück in seinen Heimatort.

JEPHTAS TOCHTER

Wieder verfielen die Israeliten dem Gotte Baal. Auch beteten sie die Göttin Aschera an und all die vielen Götter der anderen Völker. Wieder gab sie der Herr in die Hand der Feinde. In ihrer Not warfen die Israeliten alle Götzen von sich und schrien um Hilfe zum Herrn. Sie wählten und ernannten zu ihrem Richter Jephta. Dieser sammelte ein Heer wider die Feinde, die Ammoniter. Bevor er den Kampf eröffnete, tat er jedoch ein Gelübde und sprach zu dem Herrn: «Wenn du mir die Ammoniter in die Hand gibst, so will ich dir den ersten, der mir auf dem Heimweg begegnet, als Brandopfer darbringen.» Dann zog er in den Krieg und besiegte die Ammoniter.

Als er nun nach Hause kam, trat ihm seine Tochter als erste entgegen. Sie trug Handpauken und war beim Reigentanz. Da zerriß Jephta seine Kleider und tat seiner Tochter das Verhängnis kund. Die Jungfrau erbat sich zwei Monate Frist, die gewährte ihr der Vater. Sie stieg hoch ins Gebirge und kehrte nach zwei Monaten zurück. Jephta tat, was er dem Herrn gelobt hatte. Seit dieser Zeit sangen die Töchter Israels vier Tage im Jahr zu Ehren der Tochter Jephtas.

Jephtas Tochter

SIMSON, DER SONNENHELD

Die Israeliten taten, was dem Herrn mißfiel, und gerieten deshalb vierzig Jahre in die Hände der Philister. Zu der Zeit lebte ein Mann namens Manoah mit seiner Frau, die war unfruchtbar. Ihr erschien der Engel des Herrn und sprach: «Du wirst einen Sohn gebären, aber hüte dich; er darf keinen Wein noch sonst irgend etwas Berauschendes trinken. Er darf auch nichts Unreines essen. Und seine Haare dürfen nicht geschoren werden, denn er ist ein Gottgeweihter und wird Israel vor den Philistern erretten.» Als die Frau dies alles ihrem Mann erzählte, rief dieser zum Herrn. Da erschien beiden der Engel des Herrn. Er verkündigte Manoah das gleiche wie seiner Frau. Manoah fragte den Engel nach seinem Namen und wollte ihm ein Ziegenböcklein als Mahlzeit richten. Aber der Engel gebot ihm, das Ziegenböcklein als Brandopfer darzubringen. Dem folgte Manoah. Da fuhr vom Himmel eine Flamme herab und entzündete das Opfer. Manoah aber geriet in Todesfurcht, weil er den Engel des Herrn gesehen hatte. Nicht lange danach gebar Manoahs Frau einen Sohn. Den nannten sie Simson, das heißt der Sonnenmann. Der Knabe wuchs heran und der Geist des Herrn trieb ihn um. Als er erwachsen war, gefielen ihm die Töchter der Philister überaus wohl, und er bat seine Eltern, für ihn um sie zu freien. Denen war es nicht recht, aber Simson ließ nicht locker. So gingen sie schließlich zu dem Orte Thimnath.

Auf dem Wege, dort wo die Weinberge des Ortes begannen, sprang ein junger Löwe laut brüllend Simson an. Dieser packte ihn, drehte ihm den Kopf mit dem Rachen nach hinten und zerriß ihn mit den bloßen Händen, als wäre er ein kleines Ziegenlämmchen. Dabei trug Simson keinerlei Waffen. Seine Eltern waren ein Stück vorausgegangen und bemerkten deshalb nichts von dem Kampf. Simson verlor auch kein Wort darüber. Er fand bei den Töchtern der Philister eine, die ihm gefiel. Er beschloß, sie zu heiraten. Deshalb ging er nach einiger Zeit wieder zu ihr hin. Dabei bog er etwas vom

Simson, der Sonnenheld

Wege ab, um nach dem Aas des Löwen zu sehen. Im Leibe des Löwen hatte sich ein Bienenschwarm angesiedelt und Honigwaben gebaut. Simson brach sie heraus und aß davon im Weitergehen. Er gab auch seinen Eltern davon zu essen, verriet aber nicht, wo der Honig her war.

Als Simson erneut zu seinem Weibe kam, wurde ein großes Hochzeitsfest veranstaltet. Die Philister fürchteten ihn aber wegen seiner Stärke und luden dreißig Gefährten zu der Hochzeit. Als das Fest in vollem Gange war, stand Simson von seinem Sitz auf und sprach: «Ich gebe euch ein Rätsel, wenn ihr das innerhalb von sieben Tagen löst, so will ich euch dreißig Hemden und dreißig Feierkleider geben. Wenn ihr das Rätsel nicht löst, so müßt ihr mir ein Gleiches tun.» Die Hochzeitsgäste gingen auf das Angebot ein. Simson sprach: «Speise ging aus von dem Fresser, und Süßes ging aus von dem Starken.» Drei Tage versuchten die Gäste vergeblich, das Rätsel zu lösen. Schließlich gingen sie zu Simsons Frau und bedrohten sie mit den Worten: «Berede deinen Mann, daß er dir die Lösung verrät! Dann sag sie uns! Wir verbrennen dich sonst mit deiner ganzen Familie. Oder habt ihr uns eingeladen, um uns arm zu machen?» Darauf schmiegte sich das Weib an Simsons Hals, weinte und fragte ihn nach der Lösung des Rätsels. Er wollte ihr aber nichts verraten. Das hatte er ja nicht einmal seinen Eltern gegenüber getan. Aber sie weinte und weinte sieben Tage lang. Da verriet ihr Simson die Lösung, und sie gab sie sogleich an ihre Volksgenossen weiter. Die sagten zu Simson, bevor er zu seinem Weibe in die Kammer ging: «Was ist süßer als Honig? Und was ist stärker als der Löwe?» Simson antwortete grimmig: «Hättet ihr nicht mit meinem Rinde gepflügt, ihr hättet mein Rätsel nicht erraten!» Dann ging er hin in die Stadt Askalon und erschlug dort dreißig Mann. Denen zog er die Kleider aus und gab sie den dreißig Gästen als Feierkleider, so wie es abgemacht war.

Er selbst ging voller Zorn zurück zu seines Vaters Haus. Dem, der bei ihm Brautführer gewesen war, gab man indes sein Weib zur Ehe. Davon wußte Simson jedoch nichts. Er wollte nach einiger Zeit sein Weib besuchen, trug ein Ziegenböckchen mit sich und wollte zu ihr eintreten. Aber das verweigerte ihm der Vater. Er hatte seine Tochter ja bereits jemand anderem gegeben. Statt dessen bot er Simson seine jüngere Tochter als Weib an.

Aber Simson wendete sich ab, ging fort und fing sich dreihundert Füchse. Die Schwänze von jeweils zwei Füchsen band er immer zusammen, steckte eine brennende Fackel dazwischen, und so jagte er sie in die Getreidefelder der Philister. Das Korn stand kurz vor der Ernte. Es geriet mitsamt den Öl- und Weinbergen in Brand. Daraufhin verbrannten die Philister aus Wut Simsons Weib und ihre ganze Familie. Simson schwur Rache und richtete ein furchtbares Blutbad unter den Philistern an. Dann zog er hinab und wohnte in der Felsenkluft von Etam.

Die Philister zogen nach Juda hinauf, um ihn in Fesseln zu legen. Über ihr Kommen erschraken die Israeliten und versprachen ihnen, Simson auszuliefern. Mit dreitausend Mann zogen sie zu der Felsenkluft. Sie mußten Simson schwören, ihn nicht zu töten, sondern nur zu binden und den Philistern so auszuliefern. Simson ließ sich mit zwei neuen Stricken fesseln. Dann führten sie ihn die Felsen hinauf. Als die Philister ihn sahen, rannten sie mit Siegesgeschrei zu ihm. Aber über Simson kam der Geist des Herrn, und die Stricke wurden wie von Feuer versengt und fielen von ihm ab. Er fand einen frischen Eselskinnbacken. Den ergriff er und erschlug damit tausend Philister. Dann warf er den Kinnbacken fort. Nach diesem Kampf litt er furchtbaren Durst und bat den Herrn um Hilfe. Da spaltete Gott die Höhlung des Kinnbackens, so daß Wasser daraus hervorquoll. Simson trank und erwachte wieder zu Leben.

Einmal übernachtete Simson in dem Ort Gaza. Das merkten die Leute des Ortes, verschlossen die Stadttore und lauerten ihm auf, um ihn zu töten. In der Nacht verhielten sie sich ruhig. Simson aber stand um Mitternacht auf, kam zu dem Stadttor, ergriff dessen Flügel und hob sie samt den Pfosten aus ihrer Verankerung. Er nahm sie auf seine Schultern und trug sie auf die Höhe des Berges gegenüber Hebron.

Eines Tages gewann er wieder eine Tochter der Philister lieb. Sie hieß Delila und wurde seine Frau. Die Fürsten der Philister gingen zu ihr hin und boten ihr tausendeinhundert Lot Silber. Dafür sollte sie das Geheimnis von Simsons Kraft ergründen. Delila ging auf das Angebot ein. Sie fragte Simson nach dem Quell seiner Kraft, und er antwortete ihr: «Mit sieben frischen Seilen muß man mich binden, dann werde ich schwach wie ein gewöhnlicher Mensch.» Da besorgten die Fürsten der Philister sieben frische Saiten. Und Delila band in der Nacht Simson damit, während er schlief. Die Philister lagen unterdes vor der Kammer auf der Lauer. Delila rief laut: «Simson, die Philister kommen.» Da sprang Simson auf und zerriß die Fesseln wie ein Spinngewebe. So wußte niemand um den Ursprung seiner Kräfte.

Aber Delila fragte wieder, machte Simson Vorwürfe, er habe sie angelogen. Diesmal sagte er: «Man muß mich mit neuen Stricken binden, mit denen noch nicht gearbeitet wurde.» Wieder besorgten die Fürsten der Philister die Stricke, wieder fesselte Delila ihren Mann, während er schlief, und wieder zerriß er die Stricke. Aber Delila hörte noch immer nicht auf zu fragen. Schließlich sagte Simson zu ihr: «Ich will dir mein Geheimnis verraten. Wenn du die sieben Locken meines Haares miteinander verwebst und an dem Pflock des Bettes festmachst, so werde ich schwach.» Als er schlief, folgte Delila genau seinen Worten. Aber wieder lagen die Philister umsonst auf der Lauer, denn Simson riß sich leicht los. Aber Delila ließ nicht locker und fragte und fragte, fragte Simson erst, ob er sie lieb habe, und dann nach der Ursache seiner Kraft. Endlich offenbarte er ihr sein ganzes Herz und sprach: «Es ist noch kein Schermesser über mich gekommen, denn ich bin ein Gottgeweihter von Geburt an.» Delila schickte wieder nach den Fürsten der Philister, und sie brachten schon das Geld mit. Simson aber schlief in Delilas Schoß ein. Sie rief einen Mann, der mußte ihm die sieben Locken abschneiden. Nun wich alle seine Kraft von ihm. Delila rief die Philister herbei. Die ergriffen Simson, und er vermochte sich nicht gegen sie zu wehren. Sie stachen ihm die Augen aus und banden ihn mit ehernen Fesseln, und er mußte im Kerker die Mühle drehen, mußte immer im Kreise laufen wie ein Esel. So verging die Zeit, und er schien von allen vergessen.

Das Haar seines Hauptes begann wieder zu wachsen. Einmal kamen die Fürsten der Philister alle zusammen, um für ihren Gott ein großes Fest zu begehen. Sie riefen laut nach Simson und wollten ihre Kurzweil mit ihm treiben. Sie führten ihn zwischen zwei Säulen. Simson sprach zu dem Knaben, der ihn führte: «Laß mich los, daß ich die Säulen, auf denen das Haus ruht, betasten und mich daran lehnen kann.» Unter dem Dache waren dreitausend Männer und Frauen. Simson rief den Herrn an. Dann umfaßte er die beiden Mittelsäulen, auf denen das Haus ruhte, mit jeder Hand eine, und stemmte sich gegen sie. Simson dachte: «Sei's denn, daß ich mit den Philistern sterbe!» Und indem er sich neigte, brachen die Säulen. Das Dach stürzte herab, und das ganze Haus brach in sich zusammen. Alle, die im Hause waren, wurden getötet, Simson selbst auch. Die Verwandten holten seinen Leichnam und begruben ihn. Zwanzig Jahre lang hatte er in Israel gerichtet.

RUTH

Zur Zeit der Richter suchte eine Hungersnot das Land heim. Es gab kein Brot mehr. Deshalb verließ ein Mann mit seiner Frau und seinen beiden Söhnen seinen Heimatort Bethlehem. Sie zogen in die Gegend von Moab. Der Mann hieß Elimelch und seine Frau Naemi. Aber es dauerte nicht lange, und der Mann starb in der Fremde. Und auch die beiden Söhne starben. Sie hatten sich Moabiterinnen zu Frauen genommen. So blieb Naemi mit ihren beiden Schwiegertöchtern allein. Die eine hieß Orpa, die andere Ruth.

Naemi hatte Heimweh, und weil die Hungersnot zu Ende war, machte sie sich auf den Heimweg. Die beiden Schwiegertöchter begleiteten sie. Als sie nun schon eine ganze Strecke gegangen waren, sagte Naemi zu den beiden: «Kehrt nun wieder um und geht in eurer Mutter Haus! Möge euch der Herr für eure Liebe danken! Möge jede von euch einen neuen Gatten finden!» Sie küßte beide. Die Schwiegertöchter weinten laut und wollten nicht umkehren. Schließlich ließ sich Orpa umstimmen, nahm Abschied und kehrte um. Ruth aber hielt sich an ihrer Schwiegermutter fest und sprach: «Dringe nicht in mich, daß ich dich verlasse! Wo du hingehst, da will auch ich hingehen. Dein Volk ist mein Volk, und dein Gott ist mein Gott. Nur der Tod soll mich von dir trennen.»

Die beiden gelangten in die Gegend von Bethlehem. Sie freuten sich über die Kornfelder; und weiter die Hänge hinauf erblickten sie die Hirten mit ihren Schafherden. Beim Anblick des Kornes erkannten sie, warum es Bethlehem hieß; das heißt das Haus des Brotes. Der ganze Ort geriet der beiden Ankömmlinge wegen in Aufregung und Bewegung. Die Frauen sprachen: «Ist das nicht Naemi?» Sie aber antwortete: «Nennt mich nicht Naemi (das heißt die Liebliche), sondern lieber Mora (das heißt die Bittere). Denn reich bin ich ausgezogen und arm kehre ich zurück.»

Nun war gerade die Zeit der Gerstenernte. Überall arbeiteten die Menschen, mähten das Korn, banden die Garben und brachten sie zum Dreschen. Da sprach Ruth, die Moabiterin, zu Naemi: «Laß mich aufs Feld und Ähren lesen bei einem, der gütig gegen mich ist!» Ruth geriet unversehens und ohne, daß sie es wußte, auf die Felder des wohlhabenden Boas, der ein Verwandter ihres verstorbenen Schwiegervaters war. Sie ging hinter den Schnittern her und las die Ähren auf, die auf dem Felde liegengebliebenen waren. Boas kam von Bethlehem, um nach der Arbeit der Schnitter zu sehen. Und er fragte: «Zu wem gehört dieses Mädchen?» Der Knecht, der die anderen anführte, antwortete: «Es ist eine Moabiterin. Sie ist mit Naemi aus der Fremde gekommen. Sie fragte, ob sie hinter den Schnittern hergehen darf. Und so ist sie vom frühen Morgen bis jetzt bei uns geblieben.» Boas sagte daraufhin freundlich zu Ruth: «Halte dich an meine Mägde, und wo sie schneiden, folge ihnen nach. Meine Knechte dürfen dir nicht beschwerlich fallen. Wenn du Durst hast, trinke mit bei den andern.» Ruth fragte: «Woher kommt mir das Glück, da ich doch eine Fremde bin?» Boas antwortete: «Ich habe gehört, daß du viel Gutes an deiner Schwiegermutter getan hast.

Der Herr vergebe es dir!» Und dann fügte er noch hinzu: «Wenn Essenszeit ist, so komme hierher, iß mit uns und tunke dein Brot in den Essig ein.» Und so geschah es. Ruth aß zusammen mit den Schnittern und behielt noch etwas für ihre Schwiegermutter übrig. Dann stand sie wieder auf und las Ähren bis zum Abend. Boas hatte seinen Knechten geboten, hie und da ein paar Garben liegenzulassen. Ruth klopfte am Abend die Ähren mit einem Stab aus. Es waren beinahe drei Maß voll Gerste. Alles gab sie zusammen mit dem übrigen Essen ihrer Schwiegermutter.

Nun ging sie auch die folgenden Tage hinaus auf das Feld und las Ähren, so lange, bis die Ernte eingebracht war. Nach einiger Zeit kam Boas zu Ruth und warb um ihre Hand. Sie wurde seine Frau. Der Herr segnete ihre Ehe und schenkte ihnen einen Sohn, der hieß Obed. Dieser wurde der Vater Isais, des Vaters von David. Es war das Geschlecht des Messias.

SAMUEL

Ein Mann und eine Frau wünschten sich sehnlichst ein Kind. Jahr für Jahr betete der Mann zum Herrn und opferte ihm, aber vergebens. Der Schoß seiner Frau blieb verschlossen. Sie weinte, und ihr Herz war betrübt. Einmal betete sie im Heiligtum des Herrn unter vielen Tränen. Sie sprach immer wieder: «Herr, schenke mir einen Sohn! Er soll dir dienen! Dir soll er geweiht sein, und kein Schermesser soll über ihn kommen.» Während sie so leise vor sich hin murmelte und kein Ende fand, stand nicht weit von ihr der Hohepriester Eli, beobachtete sie und glaubte, sie wäre trunken von Wein. Zornig wollte er sie fortschicken, aber sie sprach: «Ich bin nicht trunken, aber ich bin unglücklich und habe dem Herrn mein Leid geklagt.» Der Priester Eli antwortete: «So geh in Frieden! Der Herr wird dir dein Herzensanliegen erfüllen.» Da zog die Frau wieder frohen Herzens zu sich nach Hause.

Am Ende des Jahres gebar sie einen Sohn und nannte ihn Samuel, das heißt: vom Herrn habe ich ihn erbeten. Sie stillte das Kind, und als sie es von der Mutterbrust entwöhnt hatte, brachte sie es zu dem Priester Eli und weihte es dem Dienste des Herrn. Dort im Heiligtum wurde es groß. Der Priester Eli hatte zwei Söhne. Die waren nichtswürdig und ohne alle Scham, achteten den Herrn nicht, noch ihren Vater oder irgendeinen frommen Israeliten. Wenn jemand kam und dem Herrn ein Opfer bringen wollte, sei es nun ein Zicklein, ein Stier, eine Taube oder was immer, nahmen sie es ihm fort und aßen das Fleisch selbst. So erniedrigten sie das Heiligtum.

Jahr für Jahr besuchten die Eltern ihren Sohn Samuel und schenkten ihm jedesmal ein neues Obergewand. Der Priester Eli war inzwischen uralt. Seine Söhne schändeten weiterhin das Heiligtum, trieben sich mit Ludervolk vor dem Eingang des heiligen Zeltes herum. Der Vater machte ihnen Vorhaltungen, aber sie kümmerten sich nicht darum. Er fand nicht die Kraft, sie zu strafen, wie sie es verdient hatten. Der Herr beschloß, dem ein Ende zu machen.

Samuel schlief jede Nacht im Tempel des Herrn dicht bei der heiligen Bundeslade. Der Priester Eli schlief an einer anderen Stelle. Seine Augen waren schwach geworden. Einmal in der Nacht rief der Herr: «Samuel, Samuel!» Samuel dachte, Eli hätte ihn gerufen, und lief zu ihm hin. Aber Eli hatte ihn nicht gerufen und schickte ihn wieder fort. Ein zweites Mal wiederholte sich das gleiche. Samuel kannte den Herrn noch nicht. Als sich das gleiche ein drittes Mal wiederholte, merkte Eli, daß der Herr Samuel rief und sprach: «Geh! Lege dich wieder schlafen! Und wenn du wieder gerufen wirst, so sprich: ‹Rede Herr! Dein Knecht hört.›» Nun legte sich Samuel wieder schlafen, und der Herr rief ihn zum vierten Mal. Diesmal sagte Samuel: «Rede Herr! Dein Knecht hört.» Der Herr sprach zu Samuel: «Die Taten Elis und seiner Söhne lassen sich nimmermehr sühnen. Der Vater hat der Schlechtigkeit seiner Söhne nicht gewehrt, hat sie nicht unterbunden. Deshalb will ich ihn und sein Haus auslöschen. Die Schreie werden allen, die es hören, in den Ohren gellen.» Danach schlief Samuel bis zum Morgen. Als er aufwachte, scheute er sich vor Eli, wollte ihm das Gesicht nicht kundtun. Aber Eli fragte ihn eindringlich. Der Knabe tat sein Gesicht kund. Eli hörte alles mit an, war dabei wie ein Lebloser, blieb aber tatenlos und versuchte nicht, das lose Treiben seiner Söhne zu beenden.

Die Menschen in Israel aber merkten, daß der Herr Samuel zu seinem Propheten ausersehen hatte. Zwischen den Israeliten und den Philistern entbrannte zu der Zeit wieder ein heftiger Krieg. Die Israeliten erlitten eine empfindliche Niederlage. In ihrer Not beschlossen die Ältesten, die Bundeslade zu holen. Sie hofften, Gott würde sie retten. Es war ja die Lade des Herrn, ganz mit Gold überzogen und mit zwei Cherubim versehen. Moses hatte sie bauen lassen. Die beiden nichtswürdigen Söhne Elis begleiteten die Lade. Als die Israeliten das heilige Gut sahen, brachen sie in Jubel aus, daß die Erde dröhnte. Die Philister hörten das laute Feldgeschrei und erfuhren die Ursache. Sie gerieten in Furcht. Dann aber feuerten sie sich gegenseitig an und entfachten all ihren Mut. Sie besiegten die Israeliten und töteten dreißigtausend Mann Fußvolk, auch raubten sie die Lade Jahves. Die beiden Söhne Elis kamen zu Tode. Ein flüchtiger Israelit lief noch am selben Tage zum Hohenpriester Eli. Der saß auf einem Stuhl neben dem Tor und spähte auf die Straße, soweit ihm dies möglich war. Er hatte Angst um die heilige Lade. Er war achtundneunzig Jahre alt. Als ihm der Bote berichtete, was geschehen war, fiel er rücklings vom Stuhl, brach sich das Genick und starb.

Die Philister aber schafften die Lade in das Haus ihres Gottes Dagon. Dem hatten sie ein Bildnis errichtet. Am nächsten Morgen fanden sie das Bildnis ihres Gottes vor der Lade auf dem Boden liegend. Kopf und Hände lagen abgeschlagen auf der Schwelle. Die Priester erschraken. Die Hand des Herrn lastete schwer auf den Bewohnern der Stadt, wo die Lade war. Die Bewohner wurden von Ungeziefer heimgesucht und waren übersät mit schmerzhaften Beulen. Eine Versammlung wurde einberufen. Dort trafen sich die Fürsten der Philister. Es wurde beschlossen, die Lade in eine andere Stadt zu schaffen. Hier wiederholte sich das gleiche. Das Volk wurde vom Unheil heimgesucht. Nun brachte man die Lade wieder in eine andere Stadt. Alle, die hier wohnten, gerieten in Todesfurcht. Viele starben oder wurden von der Beulenpest heimgesucht. Das Wehgeschrei stieg zum Himmel empor.

Nun folgten die Fürsten dem Rat ihrer Priester und Wahrsager und sandten die Lade nach Israel zurück. Sie spannten zwei säugende Kühe vor einen Wagen, schickten die Kälber der Kühe fort und stellten die Lade des Herrn auf den Wagen, luden dazu zur Sühne ein Kästchen mit goldenen Mäusen und goldenen Abbildern der Beulen. Beständig brüllend zogen die Kühe den Wagen. Die Philister blieben allmählich zurück. Die Israeliten erkannten schon von ferne die Lade und rannten dem Wagen freudig entgegen. Bei einem großen Stein blieben die Kühe stehen. Die Israeliten spalteten das Holz des Wagens, entzündeten ein Feuer und opferten die Kühe dem Herrn. Die Philister sahen alles aus der Ferne und kehrten nun endgültig um.

Samuel aber wurde zum Richter von Israel erhoben. Er zog in allen Himmelsrichtungen durch das Land und sprach Recht. Durch ihn wurden alle fremden Götterbildnisse zerschlagen. Er schrie zum Herrn wider die Feinde. Und der Herr half seinem Volk, donnerte furchtbar gegen seine Feinde und verwirrte sie. Alles Land, was sie den Israeliten fortgenommen hatten, mußten sie wieder herausgeben.

DIE KÖNIGE

SAUL

Als Samuel alt geworden war, sprachen an seiner Statt seine Söhne das Recht. Aber sie waren ungerecht. Da klagten die Ältesten des Volkes Samuel ihr Leid. Sie verlangten nach einem König. Samuel aber weigerte sich und rief zum Herrn. Der Herr aber sprach: «Willfahre dem Begehren des Volkes! Es verwirft ja nicht dich, sondern mich. Aber warne das Volk! Zähle ihm alle Rechte auf, die ein König besitzt!» Nun rief Samuel das Volk zu sich und sprach: «Einen König wollt ihr? Bedenkt es gut! Denn ein König besitzt viele Rechte und viel Macht. Eure Söhne wird er zum Kriegsdienst zwingen. Dienst müssen sie leisten bei den Wagen und Rössern. Seinen Acker müssen sie pflügen und seine Ernte einbringen. Die Kriegswaffen und Wagengeräte müßt ihr ihm schmieden. Eure Töchter müssen für den König Salben mischen und kochen und backen. Und eure Weinberge und Ölberge nimmt sich der König für seine Diener und ebenso die Knechte und Mägde, die Rinder und Esel. Von den Schafen nimmt er den Zehnten, und ihr selbst müßt seine Knechte sein. Aber wenn euch der König unterdrückt und ihr schreit zum Herrn, so wird euer Schreien nicht erhört.» So eindringlich sprach Samuel. Aber umsonst: Das Volk beharrte auf seinem Willen.

Nun machte sich Samuel auf die Suche. Und er fand Saul. Der überragte alle andern an Haupteslänge, war stattlich und stark. Das alles ereignete sich so: Dem Vater Sauls gingen einige Eselinnen verloren. Zusammen mit ein paar Knechten suchte Saul nach ihnen, aber vergeblich. Sie gelangten auch zu der Stadt, in der Samuel wohnte, und beschlossen, den Seher zu fragen. Sie begegneten ihm, als er gerade aus dem Stadttor trat. Dies hatte der Herr am Tage zuvor dem Samuel geweissagt und hinzugefügt: «Diesen sollst du zum König salben!» Saul trat am Toreingang an Samuel heran und fragte ihn nach dem Seher. Samuel gab sich zu erkennen, befahl ihm auf die Höhe voranzugehen und lud ihn bei sich zu Gast. Er sagte: «Morgen will ich dich ziehen lassen. Deine Eselinnen sind vor drei Tagen verlorengegangen. Aber sorge dich nicht, sie sind wiedergefunden. Dir gehört alles, was in Israel ist.» Die letzten Worte wußte Saul nicht zu deuten, ging aber mit. Bei Tisch – es waren dreißig Geladene – saß er obenan. In der Nacht schlief er auf dem Dach von Samuels Haus, über sich das All mit den Gestirnen.

Am anderen Morgen nahm ihn Samuel mit sich an einen einsamen Ort. Dort goß er ihm Öl über das Haupt, küßte ihn und sprach: «Der Herr salbt dich zum König über das Volk Israel. Du sollst über sein Volk herrschen. Du sollst es erretten aus der Hand seiner Feinde. Dies gibt er dir als Zeichen. Am Grab der Rahel wirst du zwei Männer finden. Sie bringen dir die verlorenen Esel. Dann wirst du an der Eiche Thabor drei Männern begegnen. Einer trägt drei Böcklein, der andere zwei Laibe Brot und der dritte einen Schlauch Wein. Die drei Männer werden dich grüßen und dir zwei Brote geben. Die sollst du nehmen. In der Stadt Gibea wirst du auf eine Schar Propheten stoßen. Klingen werden in deinen Ohren ihre Harfen, Handpauken, Flöten und Zithern. Mit den Propheten wirst du in Verzückung geraten, und der Geist des Herrn wird über dich kommen. Du wirst dich in einen anderen Menschen verwandeln. Dann warte in Gilgal sieben Tage auf mich. Wir wollen Brand- und Heilsopfer bringen.»

Alles traf so ein, wie es der Seher vorausgesagt hatte. Als Saul wieder nach Hause kam, erzählte er seinem Vater alles, was er erlebt hatte. Nur daß ihn Samuel zum König gesalbt hatte, behielt er für sich. Samuel aber berief und versammelte das ganze Volk. Er wollte ihm den versprochenen König geben. Er warf das Los, und es traf den Stamm Benjamin. Wieder warf er das Los, und es traf das Geschlecht Matri. Und aus dem Geschlecht Matri traf das Los Saul. Man suchte nach ihm. Er war aber nicht zu finden. Der Herr wurde nach ihm befragt, und so wurde sein Versteck offenbar. Das Volk suchte und fand ihn in dem Gepäck. Es holte ihn hervor, und siehe, er überragte alle an Haupteslänge. Das Volk jubelte seinem ersten König zu. Samuel verkündete das Königsrecht und schrieb es auf.

Nicht lange danach belagerten die Ammoniter eine israelische Stadt. Als Saul davon hörte, zerstückelte er ein paar Rinder und schickte die Stücke in Israel überall hin mit der Botschaft: «Wer nicht in Waffen zu mir kommt, dessen Rindern ergeht es ebenso.» Da strömten die Israeliten von allen Ecken des Landes zusammen, vereinigten sich und überfielen und besiegten die Ammoniter, so daß keiner übrigblieb. Das Volk jauchzte Saul zu, und sein Königtum wurde erneuert.

Samuel salbt Saul

Samuel aber trat von seinem Richteramt zurück. Davor aber versammelte er das Volk, ging mit ihm schroff ins Gericht und sprach: «Ihr habt ein großes Unrecht wider den Herrn begangen, weil ihr einen König wolltet. Und zum Zeichen, daß dem so ist, wird es jetzt regnen und donnern.» Kaum hatte Samuel geendet, regnete und donnerte es den ganzen Tag. Das Volk geriet in Furcht. Aber nun mußte es seinem König dienen.

Bald kam es wieder zum Krieg mit den Philistern. Überall hallte furchtbares Waffengetöse. Voller Schrecken schloß sich das Volk an Saul. Der gleißte in all seiner Macht, war immer umgeben von Waffenlärm und Kriegsgeschrei. Er und Samuel wollten einander in Gilgal treffen. Sieben Tage sollte Saul auf den Seher warten. Aber Samuel kam nicht. Da brachte Saul eigenmächtig das Heils- und Brandopfer dar. Kaum hatte er dies vollendet, kam Samuel, stellte ihn zur Rede und sprach: «Dein Königtum ist ohne Bestand. Der Herr hat sich einen anderen Mann nach seinem Herzen gesucht.» Danach ging Samuel seines Weges.

Sauls Sohn hieß Jonathan. Der verließ eines Tages heimlich mit seinem Waffenträger das Lager des Vaters. Saul saß gerade unter einem Granatapfelbaum und merkte nichts, ebenso keiner seiner Leute. Jonathan und sein Waffenträger erklommen mühsam die Höhe, wo die Philister auf der Lauer lagen. Jonathan tötete zwanzig der überraschten Philister. Ein Schrecken entstand im feindlichen Lager, und die Philister rannten wirr durcheinander. Furcht ergriff sie vor dem Herrn, denn die Erde bebte. Die Kundschafter Sauls bemerkten das Gedränge in dem feindlichen Lager und meldeten es ihm. Saul prüfte nach, wer von seinen Leuten fehlte. Nur sein Sohn Jonathan und dessen Waffenträger fehlten. Saul befahl, die Bundeslade zu holen. Währenddessen wurde das Getümmel im feindlichen Lager immer größer. Nun zogen alle Israeliten in den Kampf. Die vorher Geflüchteten brachen aus ihren Felsenlöchern und setzten den Philistern nach. So gab an diesem Tag der Herr Israel den Sieg.

Saul befahl bei Todesstrafe, daß keiner an diesem Tag irgend etwas trinken oder essen sollte. Das Gebot kam die Männer wegen des Kampfes schwer an. Außerdem brannte vom Himmel die Sonne herab. Nun waren in den Bäumen auf dem Felde Waben, die von Honig überflossen. Niemand getraute sich davon zu kosten, denn alle fürchteten den Fluch des Königs. Jonathan aber wußte von alledem nichts. So tauchte er die Spitze seines Stabes in den Honig und führte ihn mit der Hand zum Mund. Da wurden seine Augen hell. Als ihm die anderen wegen des Honigs Vorwürfe machten, wurde er zornig, weil es ihnen wegen Sauls Verbot an Kraft fehlte und dadurch viele Philister entkamen. Nun fielen die Israeliten über die Beute her, töteten die Schafe und Rinder, aßen das noch blutige Fleisch, bis ihnen Saul Einhalt gebot. Er selbst baute für den Herrn einen Altar.

Der Priester forderte ihn auf, mit den Seinen vor den Herrn zu treten. Wer das Speise- und Trankverbot übertreten hatte, sollte sterben. Deshalb wurde das Los geworfen. Es fiel auf keinen aus dem Volk. Schließlich wurde das Los zwischen Saul und seinem Sohn geworfen. Es fiel auf Jonathan, und er gab zu, daß er von dem Honig gekostet hatte. Er war bereit, deshalb zu sterben. Saul sprach: «Ja, du mußt sterben.» Aber das Volk trat dazwischen und rief: «Durch Jonathan haben wir den großen Sieg errungen. Es darf kein Haar von seinem Haupte auf die Erde fallen.» So blieb Jonathan am Leben.

Bald brach das Kriegsgetöse wieder an. Saul kämpfte wider alle seine Feinde. Auf Samuels Weisung kämpfte er gegen die Amalekiter. Er sollte an ihnen den Bann vollstrecken, denn sie waren den Israeliten beim Einzug in das gelobte Land entgegengetreten. Saul tötete alle. Nur den König der Amalekiter nahm er lebendig gefangen, auch ließ er die besten Schafe und Rinder am Leben, die fetten Tiere, die Lämmer und alles, was wertvoll war. Er bannte nur die wertlose und geringe Ware. Deshalb verfluchte ihn Samuel und sprach: «Weil du dem Herrn nicht gehorcht hast, hat er dich als König verworfen. Er wird das Königtum einem anderen geben, der besser ist als du.» Danach ließ Samuel den König der Amalekiter vor sich bringen und hieb ihn in Stücke. Er verließ Saul und sah ihn nicht wieder.

DAVID WIRD ZUM KÖNIG GESALBT

Also reute es den Herrn, daß er den Saul zum König erhoben hatte. Samuel trauerte. Schließlich schickte ihn der Herr mit dem Salbhorn in die Stadt Bethlehem zu dem Manne Isai. Unter dessen Söhnen hatte der Herr einen zum König ausersehen. Samuel fürchtete, daß Saul davon erführe. Er führte eine junge Kuh zum Opfer mit sich. In Bethlehem eilten ihm die Ältesten erschrocken entgegen, weil sie sein Vorhaben nicht kannten. Samuel weihte sie und rief sie zum Opfermahl, desgleichen Isai und seine Söhne. Alle sieben Söhne des Isai mußten vor Samuel hintreten, und er weihte sie. Aber bei jedem sprach der Herr: «Das ist nicht der rechte.» Samuel war ratlos. Schließlich fragte er den Isai: «Sind das alle deine Knaben?» Isai antwortete: «Es fehlt noch der jüngste. Er hütet die Schafe.» Nun mußte auch der jüngste noch geholt werden. Der hatte rötliche Haare, klare Augen und war wohlgestalt. Der Herr sprach zu Samuel: «Das ist der rechte.» Samuel nahm sein Ölhorn und salbte den jüngsten inmitten seiner Brüder. Er hieß David. Der Geist des Herrn kam über David und blieb auf ihm von diesem Tage an. Samuel aber ging fort nach Rama. Niemand wußte, warum David gesalbt worden war.

DAVID ALS LAUTENSPIELER

Von König Saul aber war der Geist des Herrn gewichen, statt dessen quälte ihn ein böser Geist und trieb ihn um, ließ ihm Tag und Nacht keine Ruhe. Da rieten ihm die Knechte, nach einem Lautenspieler zu suchen. Das Spiel der Saiten könne seinem Gemüt vielleicht Frieden geben. Dem stimmte Saul zu. Einer seiner Knechte pries das Saitenspiel Davids. So ließ ihn Saul zu sich kommen. Davids Saitenspiel bannte die Widersacher. Vor dem lauteren Spiel wichen sie zurück, und Saul gewann Frieden. Ihm wurde David so lieb, daß er ihn zu seinem Waffenträger machte. Sobald der böse Geist über ihn kam, nahm David die Laute und spielte. So wurde er Saul teuer.

DAVID UND GOLIATH

Die Kriege Sauls fanden kein Ende. Die Philister standen jenseits des Berges und die Israeliten diesseits. Dazwischen lag ein Tal. Nun ragte aus den Philistern ein Kämpfer hervor, ein Riese an Gestalt. Er hieß Goliath. Er trug einen schweren Helm und einen Schuppenpanzer von Eisen. Der Panzer war furchtbar schwer, nur nicht für ihn. Er trug auch an den Beinen Schienen von Eisen. Sein Speer war wie ein Weberbaum und hatte eine scharfe eiserne Spitze. Angst breitete er aus. Vor ihm her ging ein Schildträger. Goliath stellte sich vor die Reihen der Israeliten und schrie mit laut dröhnender

David als Harfenspieler

Stimme: «Wer von euch wagt es, mit mir zu kämpfen? Wer mich erschlägt, dem wollen wir Knechte sein. Gewinne aber ich im Kampf, so müßt ihr uns dienen. Stellt mir einen Mann, daß wir miteinander kämpfen!» So schrie und tobte er vierzig Tage lang. Als Saul und die Seinen Goliaths Drohungen und Schmähreden hörten, verzagten sie und fürchteten sich.

David hütete während des Krieges die Schafe seines Vaters in Bethlehem. Hier war Stille und Friede. Seine drei ältesten Brüder waren mit Saul in den Krieg gezogen. An einem Tage schickte der Vater Isai David zu ihnen in das Lager, um ihnen Brote zu bringen und nach ihnen zu schauen. David machte sich am nächsten Morgen auf den Weg, überließ seine Schafe einem Hirten. Als er im Lager ankam, stellten sich die beiden Heere gerade in Schlachtordnung auf. David lief rasch zu seinen Brüdern und begrüßte sie. Da kam, starrend in Waffen, auf der anderen Seite des Tales gerade Goliath, lästerte und führte die gewohnten Schmähreden. David hörte sie zum ersten Mal. Aber sie erweckten nur seine Neugierde. Die Israeliten flohen vor Goliath, als sie ihn sahen. Einer von ihnen sprach: «Wer den Goliath tötet, den will König Saul sehr reich machen, seine Tochter will er ihm zur Frau geben, und seines Vaters Haus soll steuerfrei sein.» David hörte aufmerksam zu und fand des Fragens kein Ende. Schließlich fuhr ihn sein älterer Bruder zornig an, nannte ihn vermessen und verbot ihm das Wort. David aber wendete sich von ihm fort und fragte die Krieger wie vorher. Saul ließ ihn zu sich rufen. David, der Hirtenknabe, wollte mit Goliath kämpfen, war ohne jede Furcht. Hatte er nicht schon oft als Hirte die Löwen oder Bären besiegt? Saul selbst zog David seine eigene Rüstung an, setzte ihm den Helm auf und legte ihm den Panzer um. Aber David vermochte in der Rüstung nicht einmal richtig zu gehen und konnte mit den Waffen nicht umgehen. Die anderen mußten lachen. So legte er alles wieder ab, nahm nur seinen Stecken zur Hand, lief hinunter zum Bach und suchte sich dort fünf Kiesel heraus. Die steckte er in seine Hirtentasche. Dann nahm er seine Schleuder in die Hand und trat dem Riesen Goliath entgegen.

Der konnte den Knaben nur verachten, führte Spott- und Hohnreden und steigerte sich so in Wut. David hielt mit dem Wort nicht zurück und berief sich auf den Herrn. Dann rannte er auf den Riesen los, griff eilends in seine Tasche, nahm einen Stein heraus, schleuderte ihn und traf Goliath auf die Stirn, daß ihm der Stein ins Gehirn drang und er tot auf den Boden schlug. David lief zu dem Toten, zog ihm das Schwert aus der Scheide und schlug ihm den Kopf ab. Als dies die Philister sahen, flohen sie haltlos. Sie wurden von den Israeliten verfolgt. Ihr Lager wurde geplündert. David brachte den Kopf des Erschlagenen zu Saul.

David und Goliath

DAVIDS FREUNDSCHAFT MIT JONATHAN UND SAULS EIFERSUCHT

Jonathan, der Sohn Sauls, schloß David in sein Herz und gewann ihn so lieb wie sein eigenes Leben. Er schenkte ihm seinen Mantel, seine Rüstung und sein Schwert. Saul ließ David nicht mehr in das Haus seines Vaters zurückkehren. David hatte Glück in allem, was er anfing. Er führte die Kriegsleute Sauls an und war beim Volk beliebt. Als das Heer schließlich heimkehrte, zogen ihm aus allen Städten Israels die Frauen mit Gesang und Tanz, mit Handpauken und Zimbeln jauchzend entgegen und riefen: «Saul hat Tausende erschlagen, David aber Zehntausende.» Dies ergrimmte Saul. Er war voller Neid und begann David zu hassen. Am nächsten Tag kam der böse Geist über ihn. David spielte gerade die Laute so wie jeden Tag. Da warf Saul seinen Speer nach ihm. Aber David wich ihm aus und sprang zur Seite. Der Speer bohrte sich in die Wand. Saul begann ihn zu fürchten und ernannte ihn zum Obersten über Tausend, damit er aus seinem Angesicht verschwände. Er versprach David sogar seine Tochter zur Frau, wenn er die Philister bekämpfte. Im stillen hoffte er, David fände dabei den Tod. Aber David kehrte siegreich aus dem Krieg zurück und erhielt Sauls Tochter Michal zur Frau. Aber je mehr Glück David im Kampf hatte, desto mehr haßte ihn Saul und wollte ihn töten.

Aber Jonathan, Davids treuer Freund, warnte ihn vor seinem Vater. Er beredete Saul und führte einen scheinbaren Frieden zwischen den beiden herbei. Der zerbrach schnell wieder, als ein erneuter Krieg mit den Philistern begann. Saul verfiel wieder seinem Haß und wollte David mit dem Speer töten. David mußte fliehen. Sein Weib ließ ihn bei Nacht an einem Seil aus dem Fenster seines Hauses hinab. Sie legte in sein Bett ein Bildnis und ein Geflecht von Ziegenhaaren. Das fanden die Schergen Sauls. Saul zog seine Tochter zur Rechenschaft. Aber sie sprach: «Mein Mann drohte mir mit dem Tode.» David floh zu dem Propheten Samuel und wohnte in dessen Haus. Saul erfuhr davon und sandte Boten aus, David zu holen. Als diese ankamen, tanzte Samuel an der Spitze einer Schar von Propheten in Verzückung. Als die Boten herzutraten, kam der Geist des Herrn über sie, und sie gerieten ebenfalls in Verzückung. Saul schickte ein zweites Mal Boten aus, denen erging es ebenso. Da schickte er ein drittes Mal Boten. Aber auch denen erging es nicht anders. Schließlich machte sich Saul selbst auf den Weg. Aber als er auf das Prophetenhaus zuhielt, geriet er schon auf dem Weg in Verzückung. Und im Hause selbst zog er seine Kleider aus und lag verzückt vor Samuel auf dem Boden, den ganzen Tag und die ganze Nacht.

David aber floh währenddessen und eilte zu seinem Freund Jonathan und klagte ihm all sein Leid. Auch Jonathan härmte sich, denn er liebte David mehr als sein eigenes Leben. Die beiden liefen auf das freie Feld. David beteuerte seine Unschuld. Jonathan versprach, seines Vaters Sinn zu prüfen und dann seinem Freund ein Zeichen zu geben. Am Neumond setzte sich der König zu Tisch, um zu essen. Er fragte nach David, als er merkte, daß dessen Platz am Tische leer blieb. Jonathan antwortete: «Er wollte nach Bethlehem zum Familienopfer und bat mich um Urlaub. Den habe ich ihm gegeben.» Als Saul dies hörte, geriet er in furchtbare Wut. Davids Tod war nun für ihn beschlossene Sache, denn er hatte Angst, er würde ihm die Königskrone entreißen.

Am nächsten Morgen streifte Jonathan mit seinem Burschen über das Feld. Hinter einem Erdhügel hielt sich David versteckt. Jonathan verschoß ein paar Pfeile, und sein Bursche mußte sie ihm rasch zusammenlesen. Dies war das Zeichen, das er mit David ausgemacht hatte. Dazu rief er laut: «Die Pfeile liegen hinwärts von dir.» Nun wußte David genau, daß ihm Saul übel gesonnen war. Hätte Jonathan gerufen: «Die Pfeile liegen herwärts», so wäre alles gut gewesen. Als der Bursche alle Pfeile zusammengelesen hatte, gab ihm Jonathan seine Rüstung und schickte ihn in die Stadt zurück. Nun erst traf er David. Beide weinten und nahmen voneinander Abschied.

David gelangte nach Nab zu dem Priester Ahimelech. Der erschrak, denn David war ja allein. Aber David sagte: «Der König hat mir einen Auftrag erteilt, von dem darf niemand etwas wissen. Hast du für mich fünf Brote zur Hand oder was sich sonst findet?» Der Priester hatte jedoch kein gewöhnliches Brot. So gab er ihm fünf heilige Schaubrote aus dem Tempel. Einer der Knechte Sauls namens Dög lag jedoch dort eingeschlossen im Tempel des Herrn. Er bemerkte, was geschah, hielt sich aber verborgen. David war ohne jede Waffe. Da gab ihm der Priester das Schwert des Riesen Goliath, das hier im Tempel aufbewahrt wurde. Es gab kein besseres im ganzen Land.

Hiernach gelangte David auf seiner Flucht zu dem König von Gath und wurde von dessen Dienern erkannt. David begann sich zu fürchten und stellte sich deshalb wahnsinnig. Wie ein Rasender trommelte er mit seinen Fäusten gegen die Türflügel und ließ Geifer in seinen Bart triefen. So nahm ihn keiner ernst, und man ließ ihn ziehen.

DAVID BEI ADULLAM

David floh in eine Höhle in Adullam. Hierher flohen auch alle seine Brüder und Verwandten, sein Vater und seine Mutter. Sie alle bangten um ihr Leben. Und es sammelten sich noch viele um ihn, die verzweifelt, bedrängt und verschuldet waren. Er wurde ihr Anführer. Schließlich wich er in das Land Juda aus. König Saul verfolgte ihn mit einem gewaltigen Heer, gelangte auch zu dem Priester von Nob, bei dem David Hilfe gefunden hatte. Nun verriet Dög, Sauls Diener, alles, was er gehört hatte. Saul raste vor Zorn und befahl seinen Trabanten, alle Priester von Nob zu töten. Die Trabanten aber weigerten sich, eine solche Schandtat zu begehen. Da befahl es Saul dem Verräter Dög. Der brachte alle fünfundachtzig Priester von Nob um. Dann schlug der König ihre Stadt mit der Schärfe des Schwertes, Männer und Frauen, Kinder und Säuglinge und alle Tiere. Nur ein einziger Sohn des Priesters Ahimelech entkam und flüchtete zu David.

DAVID IN DER WÜSTE SIPH

Als David mit seiner Horde durch das Land streifte, meldete man ihm, daß die Philister die Stadt Kegila belagerten und das Land ringsum ausplünderten. David bekämpfte sie und brachte ihnen eine schwere Niederlage bei. All ihr Vieh trieb er weg. Als Saul hiervon Kunde erhielt, zog er mit seinem ganzen Heer herzu, denn er meinte, David säße in der Falle. David entrann aber mit ungefähr sechshundert Mann und verließ fluchtartig die Gegend. Saul ließ von seiner Verfolgung nicht ab. David zog sich in die gebirgige Wüste von Siph zurück. Dort suchte Saul unablässig und verfolgte jede Spur, die sich nur fand. Der treue Jonathan suchte David auf, stärkte ihn und sprach: «Der Herr hat es so bestimmt, daß du König über Israel wirst, und ich werde der zweite nach dir sein. Das weiß auch mein Vater Saul recht wohl.» Dann erneuerten die beiden ihren Bund vor dem Herrn und trennten sich. Sauls Suche war vergeblich, und er mußte sie abbrechen, denn die Philister fielen in das Land ein.

DIE HÖHLE VON ENGEDI

David verbarg sich mit seinen Leuten auf den Berghöhen von Engedi. Als Saul die Philister vertrieben hatte, suchte er wieder nach David. Er hatte dreitausend Mann bei sich, seine besten Krieger. Eines Tages oben im Gebirge zog er an einer Höhle vorüber. Er ließ seine Krieger weitermarschieren und betrat sie allein, um eine Notdurft zu verrichten. Die Höhle war dunkel, voller Felsblöcke, Nischen und Abzweigungen. Sie führte tief in den Berg. Dort hielt sich David mit seinen Leuten verborgen. Die wollten sofort auf den wehrlosen Saul losstürzen und ihn umbringen. Aber David wehrte es ihnen. Sie durften ihrem König nichts tun. David stand leise auf, schnitt einen Zipfel von Sauls Mantel ab und steckte ihn zu sich. Das bereute er gleich darauf. Saul verließ die Höhle und trat wieder ins Freie. Dort wuchs kräftiges Gras. David trat hinter ihm aus der Höhle und rief: «Mein Herr und König!» Saul sah sich erschrocken um. David verneigte sich vor ihm und zeigte ihm den Zipfel des Mantels. Saul erkannte, was geschehen war. Dann schieden sie voneinander. Saul wußte, daß der Herr ihn verlassen hatte.

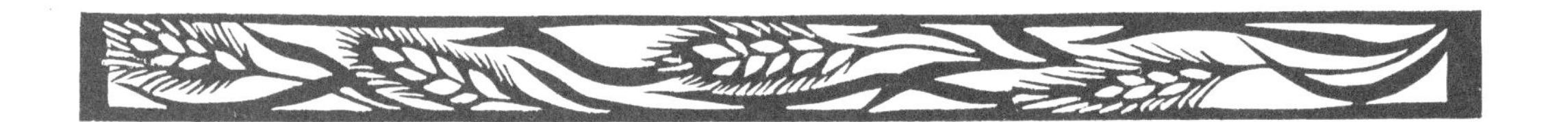

NABAL UND ABIGAIL

Zu der Zeit starb Samuel, und alles Volk versammelte sich und hielt die Totenklage. David zog hinab in die Wüste Maon. Dort am Rande wohnte ein reicher Mann. Er besaß dreitausend Schafe und tausend Ziegen. Der Mann hieß Nabal und war geizig und bösartig. Seine Frau hieß Abigail. Sie war klug und von schöner Gestalt. Als David hörte, daß Nabal bei der Schafschur war, sandte er zehn Mann zu ihm. Die baten um Nahrung für Davids ganze Schar. Aber Nabal schickte sie fort, tat so, als hätte er noch nie den Namen Davids gehört. David loderte vor Zorn, gürtete sich sein Schwert um und vierhundert Mann mit ihm.

Inzwischen hatte Abigail, die Frau Nabals, erfahren, was auf der Weide geschehen war. Sie erkannte sofort die Gefahr, die allen drohte. Auch kannte sie die Bösartigkeit und die Dummheit ihres Mannes. Eilends nahm sie zweihundert Brote, zwei Schläuche Wein, fünf zubereitete Schafe, fünf Scheffel geröstetes Korn, hundert getrocknete Trauben und zweihundert Feigenkuchen. Das alles lud sie auf ihre Esel, und so ritt sie mit ihren Knechten David entgegen. David zürnte noch immer, denn er hatte schon oft die Bewohner des Landes vor ihren Feinden beschützt und behütet. Und nun vergalt man ihm Gutes mit Bösem. Als er der Karawane Abigails begegnete, stieg diese schnell von ihrem Esel, warf sich vor David zu Boden, bat ihn um Vergebung, daß sie ihn und seine Schar nicht eher bemerkt hatte. Sie bot ihm alles, was sie mit sich führte, als Geschenk an. David nahm ihre Gaben an und versprach ihr Frieden und Schonung.

Als nun die Frau wieder nach Hause kam, hielt ihr Mann ein Gelage wie ein König, war schwer trunken vom vielen Wein. Abigail schwieg, erzählte ihrem Mann erst am nächsten Morgen, als er seinen Rausch ausgeschlafen hatte, was geschehen war. Vor Grimm krampfte er sich zusammen, sein Herz wurde wie von Stein, und er bewegte sich nicht mehr. Das währte etwa zehn Tage, dann starb er. Kurze Zeit danach warb

Nabal und Abigail

David um Abigails Hand. Und sie wurde seine Frau. Seine erste Frau, die Tochter Sauls, hatte dieser an einen anderen Mann verheiratet.

DAVIDS ERNEUTE GROSSMUT

Saul ließ nicht davon ab, David zu verfolgen. Er suchte ihn sogar in der Wüste. David schickte Botschafter aus, so daß er immer genau wußte, wo sich Saul gerade aufhielt. So erfuhr er auch, wo Saul sein Lager aufgeschlagen hatte. Er beobachtete den Ort. Eine Wagenburg war aufgebaut. In ihrem Innern schlief Saul. David schlich sich in der Nacht mit einem Krieger in das feindliche Lager. Niemand bemerkte ihn. Der Speer des schlafenden Saul stak zu seinen Häupten in der Erde. Davids Diener wollte den König mit einem Speerstoß töten. Aber sein Herr verbot es ihm. Sie nahmen den Speer und den Wasserkrug Sauls zu sich und verließen das Lager wieder so unbemerkt, wie sie gekommen waren. Der Herr hatte über das ganze Heer einen Tiefschlaf fallen lassen. David stieg auf der anderen Seite des Tals auf den Gipfel des Berges, so daß ein großer Zwischenraum entstand.

Dann rief er laut nach Abner, dem Feldherrn Sauls. Abner fragte: «Wer bist du?» David antwortete: «Warum hast du deinen Herrn, den König, so schlecht behütet? Wo ist sein Speer? Wo ist sein Wasserkrug?» Saul war auch erwacht und erkannte Davids Stimme. Alle merkten, was geschehen war, und erschraken. Saul wußte, daß der Herr mit David war. Danach ging jeder seines Weges. David wechselte mit seinen sechshundert Mann zu den Philistern über, denn er hatte ja in Israel keine Bleibe mehr und irgendwann wäre er Saul nicht mehr entronnen. So wohnte er im Lande der Philister und unternahm für diese viele Raubzüge, aber nicht im Lande Israel.

SAUL BEI DER TOTENBESCHWÖRERIN VON ENDOR

Die Philister sammelten ein großes Heer, um wider Israel zu streiten. Das ereignete sich, als die Totenklage um Samuel beendet war. In dieser Zeit gab es keine Totenbeschwörer und Wahrsager mehr im ganzen Land. Dies hatte Saul bewirkt. Er hatte sie alle töten lassen. Als nun die Philister mit einem riesigen Heer heranrückten, fürchtete sich Saul, und sein Herz bebte. Er befragte den Herrn. Aber der Herr gab ihm keine Antwort. Schließlich suchte er nach einer Totenbeschwörerin, um die Zukunft zu erfahren. Macht mußte sie haben über die Toten. Ein solches Weib gab es in Endor. Saul verkleidete sich, daß ihn niemand erkannte, und ging mit zwei Männern los.

Bei Nacht und Finsternis gelangten sie zu dem Weibe. Saul bat sie: «Wahrsage mir durch den Totengeist! Bringe mir den herauf, den ich dir nenne!» Das Weib antwortete: «König Saul hat alle Totenbeschwörer im Lande ausgerottet. Soll auch ich getötet werden? Stellst du mir eine Falle?» Saul schwur, daß ihr nichts geschähe. Das Weib fragte: «Wen soll ich heraufbringen?» Saul antwortete: «Bring mir Samuel herauf!» Da sah ihn das Weib an, schrie laut und rief jammernd: «Warum hast du mich getäuscht? Du selbst bist ja Saul.» Saul sprach: «Fürchte dich nicht, aber sage mir, was du siehst!» Das Weib sprach: «Einen Geist sehe ich aus der Erde heraufsteigen.» Saul fragte: «Wie sieht er aus?» Das Weib antwortete: «Es kommt ein alter Mann herauf, eingehüllt in einen Mantel.» Nun merkte Saul, daß es Samuel war und neigte sich ehrfürchtig zur Erde. Samuel sprach: «Warum störst du meine Ruhe und lässest mich heraufkommen?» Saul antwortete: «Ich bin in großer Not. Die Philister kämpfen gegen mich und Gott antwortet mir nicht mehr. Was soll ich nun tun?» Samuel sprach: «Warum fragst du mich, wo dein Herr dein Feind geworden ist? Morgen wirst du samt deinen Söhnen bei mir sein.»

Saul bei der Totenbeschwörerin von Endor

Saul fiel entsetzt zu Boden und zitterte vor Furcht. Er hatte den ganzen Tag und die ganze Nacht nichts gegessen. Als er sich wieder gefaßt hatte, gab ihm das Weib Brot und Fleisch zu essen, daß er wieder zu Kräften kam. Dann eilte er mit seinen Knechten noch in derselben Nacht wieder davon.

SAULS ENDE

Als David mit seiner Schar zum Heer der Philister stieß, schickten sie ihn wieder zurück, denn sie trauten ihm nicht. So kämpfte er statt dessen siegreich gegen die Amalekiter. Die waren in das Land eingebrochen und hatten alle Menschen und Habe mit sich fortgeführt. Das Heer der Philister aber war siegreich, so daß die Männer Israels flohen. Viele fanden den Tod auf dem Gebirge Gilboa. Und die Philister erschlugen die drei Söhne Sauls. Unter denen war Jonathan, der treue Freund Davids. Um Saul selbst tobte ein heftiger Kampf. Die feindlichen Schützen erkannten ihn, und ein Pfeilschuß traf ihn in den Unterleib. Da sprach Saul stöhnend zu seinem Waffenträger: «Zieh dein Schwert und durchbohre mich, damit ich nicht in die Hände meiner Feinde falle!» Aber der Waffenträger weigerte sich, denn er scheute sich, seines Königs Blut zu vergießen. Da stürzte sich Saul in sein eigenes Schwert. Als der Waffenträger sah, daß sein Herr tot war, tat er das gleiche.

Als die Philister am nächsten Tag die Gefallenen auf dem Schlachtfeld beraubten, fanden sie die Leichname von Saul und seinen drei Söhnen. Sie schlugen Saul das Haupt ab, zogen ihm die Rüstung aus und verkündeten überall den Sieg. Sauls Rüstung legten sie in dem Tempel der Göttin Astarte nieder, und seinen Leichnam spießten sie an die Mauern von Bethsan. Aber ein paar mutige Israeliten lösten in der Nacht den Leichnam von der Mauer und verbrannten ihn zusammen mit denen der drei Söhne und bestatteten die Reste unter den leicht bewegten Zweigen der Tamariske in Jabes und fasteten sieben Tage lang.

DAVID ERHÄLT NACHRICHT VON SAULS UND JONATHANS TOD

In das Lager Davids kam ein Mann in zerrissenen Kleidern und mit Staub bedeckt. Er warf sich vor David nieder. Als Bote eilte er her aus der Schlacht. David fragte sogleich erregt: «Was ist geschehen? Erzähle!» Der Mann redete: «Das Volk ist geflohen. Viele fanden den Tod, auch Saul und seine Söhne.» David fragte: «Woher weißt du das? Berichte!» Der Mann antwortete: «Ich kam von ungefähr auf den Berg Gilboa. Da stand König Saul auf den Speer gelehnt und die feindlichen Wagen und Reiter stürmten auf ihn zu. Er wandte sich um, und als er mich sah, rief er mich an und fragte: ‹Wer bist du?› Ich antwortete: ‹Ich bin ein Amalekiter.› Da sprach er: ‹Tritt an mich heran und gib mir den Todesstoß, denn der Krampf hat mich ergriffen. Aber noch immer ist Leben in mir.› Ich gab ihm den Todesstoß, denn ich wußte, er hätte seinen Fall nicht überlebt. Dann nahm ich die Krone von seinem Haupt und die Spange von seinem Arm. Beides bringe ich dir, meinem Herrn.» Als David dies alles vernahm, zerriß er seine Kleider, und die Männer, die mit ihm waren, taten ebenso. Alle hielten die Totenklage, weinten und fasteten wegen Saul und seinen Söhnen und dem vielen Volk, das gefallen war, bis zum Abend.

David ergrimmte, weil der Bursche, der Saul getötet hatte, ein Amalekiter war und sich nicht gescheut hatte, Hand an den Gesalbten des Herrn zu legen. Einer von seinen Leuten mußte den Burschen töten. David aber sprach: «Dein Blut über dein Haupt! Denn ein eigener Mund hat wider dich gezeugt, als du sprachst: ‹Ich habe den Gesalbten des Herrn getötet.›»

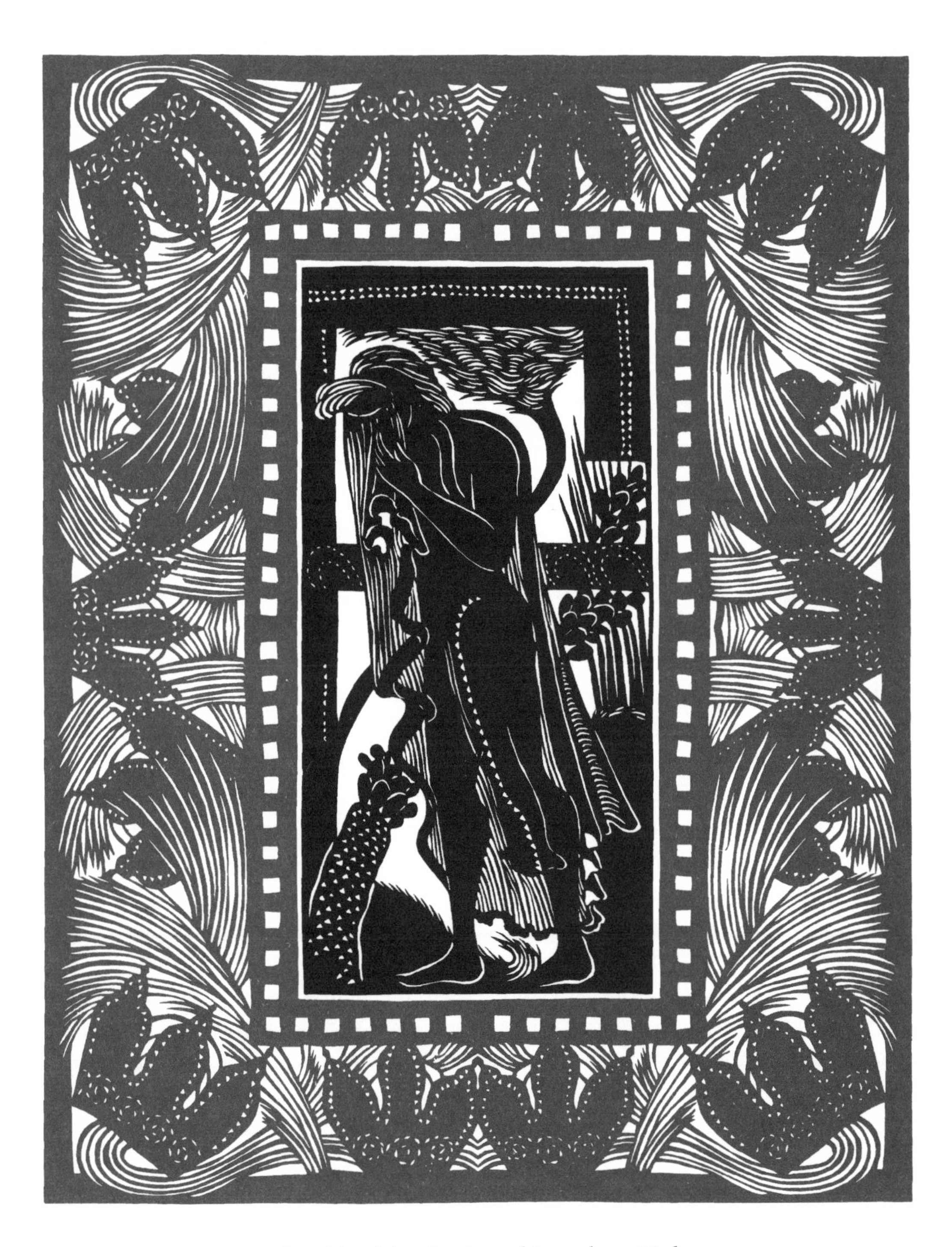

David erfährt Sauls und Jonathans Tod

DAVID WIRD KÖNIG

David wurde zunächst nur König von Juda. Sauls Feldhauptmann Abner rief Isbaal, einen von Sauls Söhnen, zum König von ganz Israel aus. Zwischen den beiden Königshäusern entspann sich ein langwieriger Krieg. Abner und Joab, der Feldhauptmann Davids, lagen einander mit ihren Truppen gegenüber. Es tobte ein heftiger Kampf, bei dem die Krieger Davids siegten. Joabs Bruder Asahel war leichtfüßig wie ein Hirsch, und so jagte er den Flüchtlingen nach. Unbedingt wollte er Abner erreichen und töten. Der starke Abner wandte sich um und erkannte, daß es Asahel war, der Bruder Joabs. Er sprach: «Weiche von mir! Suche dir einen anderen, dem du die Rüstung nimmst. Wie kann ich deinem Bruder noch in die Augen schauen, wenn ich dich töte.» Aber Asahel wich nicht von ihm und griff ihn unausgesetzt an. Da stach ihm Abner von hinten den Speer in den Bauch, daß er vorne wieder herauskam. Der Unglückliche starb auf der Stelle. Nach der Schlacht einigten sich die beiden Feldherren, den furchtbaren Bruderkrieg zu beenden. Die Knechte Davids hatten neunzehn Mann verloren, die Leute Abners aber dreihundertsechzig.

Nicht lange danach zerstritt sich Abner mit Sauls Sohn, dem von ihm selbst eingesetzten König, verließ ihn und wollte zu David überwechseln. Deshalb schickte er einen Boten zu David. Dieser forderte nur seine Frau Michal, die Tochter Sauls, zurück. Dem willfahrte Abner. Er verhandelte mit den Ältesten von Israel. David sollte König sein über ganz Israel. Die beiden trafen sich in Hebron und hielten ein gemeinsames Mahl, aßen am gleichen Tisch. König David ließ Abner im Frieden ziehen. Als dem Feldherrn Joab dies bekannt wurde, ergrimmte er, tat so, als wäre Abner ein Verräter, und machte David Vorwürfe. In Wahrheit wollte er sich aber rächen, weil Abner seinen Bruder getötet hatte, obwohl dies im Kampf und notgedrungen geschehen war. Joab schickte heimlich einen Boten hinter Abner her, er solle zu David zurückkommen. Am Tore von Hebron begegneten die beiden Feldherren einander. Joab führte Abner etwas abseits, um ihm eine geheime Botschaft zu sagen. Dort im Schatten stach er ihm heimtückisch das Schwert in den Bauch, daß er tot zu Boden fiel. David zürnte wegen des Mordes, weinte und ließ den Feldherrn Sauls ehrenvoll begraben.

Als Sauls Sohn Isbaal von der Ermordung seines Feldhauptmanns hörte, verlor er allen Mut und verkroch sich in seinem Haus. Aber als er Mittagsschlaf hielt und die Pförtnerin beim Weizenreinigen eingeschlafen war, stahlen sich zwei Knechte Davids in das Haus, schlugen den Wehrlosen tot, hieben ihm den Kopf ab und brachten ihn zu David, gierig auf Belohnung. David verhüllte sein Haupt, brach in Wehklage aus und ließ die beiden hinrichten wie gemeine Mörder. Die Hände und Füße wurden ihnen abgehauen und sie selbst wurden am Teiche zu Hebron aufgehängt. David herrschte nun als König über ganz Israel. Er war dreißig Jahre alt und sollte noch vierzig Jahre regieren.

JERUSALEM WIRD HAUPTSTADT VON ISRAEL

Als die Israeliten nach Moses das Land Kanaan unter vielen Kämpfen in Besitz nahmen, blieb das Land der Jahnsiten mit der Stadt Jerusalem davon ausgenommen. David vertrieb die Jahnsiten und bestimmte Jerusalem mit dem Berg Zion zur Hauptstadt von Israel. Mitten in der rauhen Gebirgswelt lag die Stadt, der Mittelpunkt für das Volk des Herrn. Es gab dort wenig Erde. Überall blinkte der Fels hervor. David baute sich einen Palast aus Zedernstämmen. Die ließ er von weit herschaffen. Er pilgerte nach Baala im Lande Juda und holte die heilige Lade nach Jerusalem. Auf einem neuen Wagen wurde sie hergeholt. An seinen beiden Seiten schritten Priester, und vor ihm tanzte das ganze Haus Israel, tanzte mit aller Macht vor dem Herrn unter Gesängen, mit Lauten und Harfen, Handpauken, Schellen und Zimbeln. Unterwegs griff ein Priester nach der Lade, um sie festzuhalten, denn die Rinder woll-

Jerusalem wird Hauptstadt von Israel

ten den Wagen umwerfen. Das erzürnte den Herrn, und er schlug den Priester, daß er tot neben der Lade niederfiel. Als David dies sah, fürchtete er sich und ließ die Lade nicht nach Jerusalem bringen, sondern weit von der Stadt in ein anderes Haus. Dort blieb sie drei Monate. Der Herr aber segnete dies Haus mit allen seinen Bewohnern.

Als David dies gemeldet wurde, holte er die Lade freudig zu sich. Alle sechs Schritte hielt der Wagen mit der Lade inne, dann wurde dem Herrn ein Rind und ein gemästetes Kalb geopfert. David aber tanzte vor dem Zug, nur mit einem Tuche umgürtet. Als seine Frau, die Tochter Sauls, zum Fenster hinausschaute und ihn so sah, verachtete sie ihn. Die Lade wurde in ein Zelt gestellt, das David dafür hatte aufschlagen lassen. Einen Tempel durfte er dem Herrn nicht bauen. Das blieb seinem Sohn und Nachfolger Salomo vorbehalten. Davids Frau Michal verspottete David wegen des Tanzes. Er ließ sich davon nicht anfechten, wohnte ihr jedoch nicht mehr bei, so daß sie ihr Leben lang kinderlos blieb.

DAVID UND MERIBAAL

David suchte die Nachfahren Sauls, um an ihnen Barmherzigkeit zu üben, nicht um ihnen ein Leid zuzufügen. Es stellte sich heraus, daß nur noch der Sohn Jonathans lebte. Er hieß Meribaal und war an beiden Füßen lahm. Der König holte ihn zu sich. Meribaal warf sich vor dem Throne nieder und war voller Bangigkeit. Aber David war ein gerechter König. Er nahm den Sohn seines toten Freundes zu sich in sein Haus, und der durfte mit an seinem Tische essen. Dann händigte er ihm den Grundbesitz seines Großvaters Saul aus.

DAVID, DER GERECHTE KÖNIG UND PSALMENSÄNGER

David war in allen seinen Kriegen erfolgreich, denn der Herr war mit ihm, und seine Macht wuchs von Tag zu Tag. Das Volk liebte ihn. Seine Gerechtigkeit war unbestechlich, und immer fand er das rechte Maß. Vielen erschien er als ein Engel Gottes, hatte doch schon während seiner Flucht vor Saul der Philisterkönig Achis zu David gesagt: «Du gefällst meinen Augen als ein Engel Gottes.» Nicht nur ein König war er, sondern auch ein Sänger wunderbarer Psalmen. Er sang sie zum Saitenspiel.

PSALM 8 V.2–10

Herr, unser Herrscher,
wie leuchtet von Deines Namens Glanz alle Erde!
Der Du Deine Wesens-Erstrahlung
ausgetan hast in die Himmel.
Aus dem Munde der Unmündigen und der Säuglinge
hast Du eine Macht begründet
gegenüber Deinen Bedrängern,
zum Schweigen zu bringen den Feind und Empörer.
Wenn ich anschaue Deine Himmel,
das Werk Deiner Hände,
Mond und Sterne, die Du begründet hast,

Psalm 8

was ist der Mensch, daß Du sein gedenkest,
und des Menschen Sohn,
daß Du Dich seiner annimmst?
Du ließest ihm wenig fehlen an der Gottes-Würde.
Mit Offenbarungs-Licht und Hoheits-Glanz
kröntest Du ihn.
Du hast ihn zum Herrscher gemacht
über das Werk Deiner Hände.
Alles hast Du unter seine Füße getan.
Schafe und Rinder allzumal,
und auch die Tiere des Feldes.
Die Vögel des Himmels und die Fische des Meeres,
und was seine Bahnen zieht in ozeanischen Weiten.
Herr, unser Herrscher,
wie leuchtet von Deines Namens Glanz alle Erde!

PSALM 104

Lobpreise, meine Seele, den Herrn!
Herr, mein Gott, groß bist Du gar sehr.
In Wesens-Erstrahlung und Hoheits-Glanz
hast Du Dich gekleidet.
Du hüllst Dich in Licht wie in einen Mantel.
Du breitest aus die Himmel wie ein Zelt.
Du bauest an Wassern Dein hohes Haus.
Du machst Wolken zu Deinem Wagen.
Du brausest einher auf den Fittichen des Windes.
Du lässest Deine Engel wirken in Winden,
Deine erhabenen Diener in lohendem Feuer.
Er hat die Erde erfestigt auf ihren Grundlagen.
Nicht wird sie erschüttert immer und ewig.
Mit der Urflut decktest Du sie wie mit einem Kleid.

Auf den Bergen standen die Wasser.
Vor Deinem Schelten wichen sie zurück.
Vor der Stimme Deines Donners flohen sie.
Da gingen die Berge hervor, da senkten sich nieder die Täler
an den Ort, den Du ihnen bestimmt hast.
Eine Grenze setztest Du,
die überschreiten sie nicht,
nicht kehren sie wieder, zu bedecken die Erde.
Der Du Brunnen quellen lässest in den Gründen,
zwischen den Bergen fließt es dahin.
Da trinkt alles Getier des Feldes.
Da löscht das Wild seinen Durst.
An den Ufern sitzen die Vögel des Himmels,
unter den Zweigen lassen sie ihre Stimme ertönen.
Du tränkest die Berge von Deinem Himmelshause her,
Du sättigst das Land mit Früchten, die Du schaffest.
Du lässest Gras wachsen für das Tier
und Brotgetreide zur Arbeit den Menschen,
um Brot hervorzubringen aus der Erde.
Daß der Wein erfreue des Menschen Herz,
daß sein Angesicht leuchte vom Öl,
und daß das Brot des Menschen Herz erfestige.
Es ersättigen sich die Bäume des Herrn,
die Libanon-Zedern, die Er pflanzte.
Dort nisten die Vögel.
Der Storch hat sein Nest auf den Wipfeln der Bäume.
Das Hochgebirge ist der Gemsen Reich.
Im Felsgestein schlüpfen die Murmeltiere in ihr Versteck.
Er schuf den Mond, um Zeichen zu geben.
Die Sonne weiß ihren Niedergang.
Du setzest die Finsternis ein, und es wird Nacht.
Da regt sich alles Getier des Waldes.
Die Löwen brüllen nach Raub,
das ist ihr Gebet zu Gott, um ihre Nahrung.
Du lässest aufgehn die Sonne – sie heben sich weg

und ruhen in ihren Höhlen.
Da geht der Mensch aus an sein Werk,
an seine Arbeit, bis an den Abend.
Wie zahlreich sind Deine Werke, o Herr.
Alle hast Du sie mit Weisheit geschaffen.
Erfüllt ist die Erde von Deinem Eigenen.
Da ist Gewimmel, ohne Zahl,
von Lebewesen, kleinen und großen,
Meerwunder ziehen darin ihre Bahn,
Levjathan, den Du gebildet, Dir zum Spiele.
Sie alle warten auf Dich, daß Du ihnen Speise gebest zu rechter Zeit.
Du gibst ihnen – sie sammeln ein.
Du tust Deine Hand auf – sie werden mit Gut gesättigt.
Du verbirgst Dein Angesicht – sie werden vom Schrecken erfaßt.
Du ziehest an ihrem Odem – sie vergehen, und kehren zurück zum Staub.
Du sendest aus Deinen Odem – sie werden geschaffen,
und Du erneust das Angesicht der Erde.
Es geschehe die Offenbarung des Herrn in Ewigkeit.
Es freue sich der Herr seiner Werke.
Er blickt die Erde an – und sie erbebt.
Er rührt die Berge an – und sie rauchen.
Singen will ich dem Herrn, solange ich lebe.
Spielen will ich meinem Gotte, solange ich bin.
Wohlgefallen möge ihm mein Dichten.
Ich freue mich an dem Herrn.
Mögen die Sünder verschwinden von der Erde
und die Frevler nicht mehr sein!
Lobpreise, meine Seele, den Herrn! Halleluja.

Die Himmels-Sphären verkündigen die Licht-Offenbarung des Ewigen.
Es feiert seiner Hände Werk das Firmament.
Tag dem Tag läßt Offenbarungs-Wort erquellen.
Nacht der Nacht macht Erkenntnis lebendig.
Dieses Reden, diese Worte, sie sind nicht unhörbar:
Gegenwärtig in allem Erden-Sein ist ihr ordnendes Klingen.
Bis ans Ende des Erdenkreises kraftet ihr tönendes Sprechen.
Sein Wohn-Gezelt, er schlug es auf im Sonnenball.
Und Er – ein Bräutigam geht er hervor aus seinem Brautgemach,
in Freudigkeit, als Kraft-Held zu vollenden seine Bahn.
Vom Himmels-Ende nimmt er seinen Ausgang,
und zu den Enden wieder hin schließt er den Kreis.
Nichts bleibt verborgen seiner Glut.
Die Welten-Ordnung des Herrn ist ohne Fehl,
bringt heim die Seele.
Die Selbstbezeugung des Herrn begründet Vertrauen,
macht weise den Einfältigen.
Die Weisungen des Herrn zeigen geraden Weg,
erfüllen das Herz mit Freude.
Das Weihe-Ziel des Herrn ist klar,
erleuchtet die Augen.
Die Ehrfurcht vor dem Herrn läutert durch und durch,
besteht in Ewigkeit.
Die Satzungen des Herrn sind in der Wahrheit gegründet,
fügen sich alle gerecht ineinander,
edler als das edelste Gold,
süßer als der süßeste Honig.
Auch Dein Diener wird durch sie erleuchtet,
und wer sie in der Seele pflegt,
der erntet Gottesdank.
Übereilter Taten – wer ist sich ihrer bewußt?

Psalm 19

Von den ungewußten Verfehlungen reinige mich!
Auch vor den Hochmuts-Mächten bewahre Deinen Diener.
Laß sie nicht Herrschaft über mich gewinnen.
Dann habe ich teil am Ewigen
und bin gereinigt von schwerer Sünde.
Mögen meine Worte in den Himmeln das Echo finden,
möge das Sinnen meines Herzens zu Dir dringen;
o Herr, meines Ich-Wesens Felsgrund und Erlöser!

PSALM 121

Ein Lied zum Emporsteigen.
Ich hebe meine Augen auf zu den Bergen.
Woher kommt meine Hilfe?
Meine Hilfe – von dem HERRN, der Himmel und Erde gemacht hat.
Nicht wird er gleiten lassen deinen Fuß.
Nicht wird er schlummern, dein Hüter.
Siehe, nicht schlummert noch schläft Israels Hüter.
Der HERR ist dein Hüter.
Der HERR dein Schatten über deiner rechten Hand.
Des Tags die Sonne – nicht wird sie dich stechen,
der Mond nicht des Nachts.
Der HERR wird dich behüten vor allem Bösen,
wird behüten deine Seele.
Der HERR wird behüten deinen Ausgang und Eingang von jetzt an bis in Ewigkeit.

PSALM 36 V. 2–13

Es raunt die Sünde dem Bösen ein im Innern seines Herzens.
Es ist keine Scheu vor dem Göttlichen in seinen Augen.
Die Sünde schmeichelt ihm in seinen Augen, daß er findet Schuld und Haß.
Die Worte seines Mundes sind Verderben, Frevel und Trug.
Aufgehört hat er, weise und gut zu sein.
Frevelhaftes sinnt er auf seinem Lager.
Er betritt den Weg, der nicht gut ist.
Herr, in den Himmeln – Deine Gnade.
Deine Wahrheit – bis zu den Wolken.
Deine Gerechtigkeit – wie Berge Gottes.
Deine Gerichte – eine große Tiefe.
Mensch und Tier bist Du ein Heiland.
O Herr, wie kostbar ist Deine Gnade.
Göttliche Wesenheiten und Menschen-Söhne
bergen sich im Schatten Deiner Flügel.
Sie ersättigen sich an der Fülle Deines Hauses.
Du tränkest sie mit dem Strom Deiner Wonne;
denn bei Dir ist der Quellort des Lebens.
In Deinem Lichte sehn wir das Licht.
Erhalte Deine Gnade denen, die Dich erkennen,
und Deine Gerechtigkeit denen, die aufrichtigen Herzens sind.
Nicht möge ich niedergetreten werden vom Fuß des Stolzen,
und die Hand der Gottlosen reiße mich nicht zu Boden.
Da – sie sind schon gefallen, die Täter des Frevels,
sie sind gestürzt, stehn nicht wieder auf.

Psalm 36

Mein Gott, mein Gott, warum hast Du mich verlassen?
Weit weg ist, was mein Heil wäre.
Ich kann es nicht er-rufen.
Du Gott meines Ich – ich rufe des Tages
und Du antwortest nicht.
Und auch des Nachts
gibt es kein Schweigen für mich.
Doch Du bist der Heilige,
Dich herniederlassend auf den Hymnen Israels.
Auf Dich vertrauten unsere Väter.
Sie vertrauten, und Du kamst ihnen zu Hilfe.
Zu Dir riefen sie und wurden gerettet.
Auf Dich bauten sie und wurden nicht enttäuscht.
Aber ich! – Ein Wurm! Kein Mensch!
Schmachbild eines Menschen,
der Verachtung preisgegeben!
Alle, die mich sehen, verspotten mich,
reißen wider mich den Mund auf,
schütteln den Kopf.
Wirf es auf den Herrn, der mag ihm helfen.
Der mag ihn erretten,
wenn er ein Wohlgefallen an ihm hat.
Du zogest mich aus dem Mutterleib.
Du warst mein Vertrauen an der Mutterbrust.
Auf Dich bin ich geworfen vom Mutterleibe her.
Vom Mutterleibe her bist Du mein Gott.
Leg nicht die Ferne zwischen Dich und mich!
Denn nah ist die Angst,
und ist kein Helfer.
Umgeben haben mich große Stiere.
Mächtige Stiere haben mich umringt.
Reißende und brüllende Löwen

Psalm 22

sperren ihren Rachen gegen mich auf.
Wie Wasser bin ich ausgeschüttet.
Meine Knochen haben sich aus ihrem
Zusammenhang gelöst.
Mein Herz ist geworden wie Wachs,
dahinschmelzend in meinem Inneren.
Vertrocknet wie eine Scherbe ist meine Kraft,
meine Zunge klebt mir am Gaumen.
Und Du legst mich in des Todes Staub.
Denn Hunde haben mich umgeben,
die Schar der Widersacher hat mich umringt,
sie haben meine Hände und Füße durchbohrt.
Ich kann alle meine Knochen zählen.
Sie aber schauen auf mich mit Triumph.
Sie teilen meine Kleider unter sich
und werfen das Los um mein Gewand.
Aber Du, Herr, sei nicht ferne!
Meine Stärke – zu meiner Hilfe eile herbei!
Errette vom Schwert meine Seele,
von der Gewalt des Höllenhundes meine Ich-Seele.
Errette mich aus dem Rachen des Löwen!
Und von dem Einhorn errette mich!
Ich will Deinen Namen verkünden meinen Brüdern,
inmitten der Gemeinde Dich lobpreisen.
Die ihr den Herrn fürchtet, lobpreiset ihn!
Ihn scheue aller Same Israels.
Denn er hat nicht verachtet die Armut der Armen
und hat sein Angesicht nicht vor ihm verborgen,
und als er zu ihm schrie, erhörte er ihn.
Dich preist mein Lobgesang in der großen Versammlung.
Meine Gelübde will ich einlösen vor denen,
die ihn ehrfürchtig scheuen.
Essen sollen die Armen und sich ersättigen.
Lobpreisen sollen den Herrn, die ihn suchen.
Euer Herz lebe auf ewig.

Es sollen sich erinnern und zum Herrn zurückkehren
alle Enden der Erde.
Anbeten werden vor seinem Angesicht
alle Geschlechter der Völker.
Ihm die Königsherrschaft!
Er herrscht unter den Völkern.
Ihn werden anbeten, die in der Erde schlafen.
Vor ihm werden sich beugen alle,
die herabgestiegen sind zum Staube.
Ihm lebt meine Seele.
Die Zukunft wird ihm dienen.
Verkündigt werden wird der Herr
den kommenden Geschlechtern,
und seine Gerechtigkeit denen,
die noch erst sollen geboren werden.
DENN ER HAT ES GETAN.

PSALM 23

Der Herr ist mein Hirte. Es wird mir nicht mangeln.
Er weidet mich auf einer grünen Aue.
Er führet mich zum frischen Wasser.
Er erquicket meine Seele.
Er führet mich auf rechter Straße
um seines Namens willen.
Und ob ich schon wanderte im finsteren Tal,
fürchte ich nicht das Böse; denn Du bist bei mir.
Dein Stecken und Stab trösten mich.
Du bereitest vor mir einen Tisch
im Angesicht meiner Feinde.
Du salbest mein Haupt mit Öl
und schenkest meinen Kelch voll ein.

Psalm 23

Güte und Barmherzigkeit werden mir folgen all mein Leben,
und ich will wohnen im Hause des Herrn immerdar.

PSALM 103

Lobe den Herrn, meine Seele,
und alles, was in mir ist, seinen heiligen Namen!
Lobe den Herrn, meine Seele,
und vergiß nicht all seine Erweisungen.
Der dir alle deine Sünden vergibt,
Der alle deine Gebrechen heilt,
Der dein Leben von der Grube erlöst,
Der dich krönt mit Gnade und Barmherzigkeit,
Der mit Güte sättigt dein Verlangen,
Der adlergleich deine Jugend erneut.
Der Herr schafft Gerechtigkeit
und Recht allen, die Unrecht leiden.
Er hat seine Wege dem Moses zu erkennen gegeben,
den Söhnen Israels seine Taten.
Barmherzig und gnädig ist der Herr,
langmütig, ehe er zürnt, und reich an Gnade.
Nicht in alle Ewigkeit wird er abweisend sein,
nicht in alle Zeitenkreise wird sein Zorn währen.
Nicht nach unseren Verfehlungen handelt er an uns,
und nicht nach unserer Schuld vergilt er uns,
sondern wie der Himmel hoch ist über der Erde,
ist hoch seine Gnade über denen, die ihn ehrfürchtig scheuen.
So weit der Sonnenaufgang entfernt ist vom Untergang,
entfernt er von uns unsere Sünden.
Wie sich ein Vater über Söhne erbarmt,
so erbarmt sich der Herr über die, die ihn ehrfürchtig scheuen.
Denn er weiß, wie es mit uns beschaffen ist.

Er gedenkt daran, daß wir Staub sind.
Der Sterbliche – wie das Gras vergehen seine Tage.
Wie eine Blume des Feldes blüht er auf,
der Wind geht darüber hin, sie ist nicht mehr,
und nicht kennt man mehr ihre Stätte.
Die Gnade des Herrn ist von Ewigkeit zu Ewigkeit
über denen, die ihn ehrfürchtig scheuen,
und seine Gerechtigkeit über den Söhnen ihrer Söhne,
die da treu sind seinem Bunde
und seine Willensziele im Bewußtsein tragen,
sie zu verwirklichen.
In den Himmeln hat der Herr seinen Thron errichtet,
und seine Königsherrschaft umfaßt das All.
Lobpreiset Ihn, ihr seine Engel,
ihr Kraft-Helden, die ihr sein Wort wirket,
in der Hörbarkeit zu tragen die Stimme seines Wortes,
lobpreiset Ihn, all seine leuchtenden Heerscharen,
seine erhabenen Diener, die ihr seinen Willen vollzieht.
Lobet Ihn, alle seine Werke,
an allen Orten seines Waltens.
Lobe den Herrn, meine Seele!

PSALM 96

Singet dem Herrn einen Hymnus der Erneuung!
Singet dem Herrn, alle Erde!
Singet dem Herrn!
Ruft aus seinen Namen mit segnender Kraft!
Verkündet seine Heilands-Hilfe von Tag zu Tag!
Von seiner Licht-Glorie erzählet denen,
die noch naturgebunden sind,
von seinen Wunder-Taten allen Völkern!

Psalm 103

Denn groß ist der Herr und hochverherrlicht.
Furchtbar erhaben überragt er alle Gottesmächte.
Die National-Götter, wesenlos wurden sie alle.
Der Herr aber, der das Ich-Bin spricht, erschuf die Himmel.
Offenbarungs-Glanz ist vor seinem Angesicht,
und hoheitsvolle Majestät.
Kraft ist in seinem Heiligtum, und würdereiche Schönheit.
Bringet dar dem Herrn, ihr Völkergeschlechter,
bringet dar dem Herrn den Wider-Schein seines Namens!
Traget Opfergabe herbei, betretet seine Vorhöfe!
Betet an den Herrn in strahlendem Priestergewande!
Ehrfürchtig scheue sich vor seinem Angesicht alle Erde!
Sprecht es aus unter denen, die noch naturgebunden sind:
Ergriffen hat der Herr die Königskraft im Ich.
Er, der den Erdkreis in Festigkeit gründete,
daß er nicht wanke.
In gerade Bahnen wird er lenken die Schicksale der Völker.
Freuen sollen sich die Himmel!
Aufjauchzen die Erde!
Das Meer erbrause, und seine Fülle.
Das Feld frohlocke, und alles was darauf west.
Jubeln sollen alle Bäume des Waldes.
DENN ER KOMMT! DENN ER KOMMT!
Einfügen wird er die Erde in die Gottes-Ordnung.
Richtung geben wird er allen Völkern
in der Amen-Kraft seiner Wirklichkeit.

DAVIDS EHEBRUCH UND BLUTSCHULD

Der König der Ammoniter starb. Er hatte sich seinerzeit freundlich gegen David erwiesen. Deshalb schickte David Boten zu dem Sohn des Verstorbenen, der nun selber König war. Sie sprachen ihm Davids Teilnahme aus. Aber die Fürsten hetzten wider David und sagten: «Die Boten sind nur gekommen, um unsere Stadt auszukundschaften, um sie später desto sicherer zu zerstören.» Der junge König glaubte ihnen, ließ den Boten zur Hälfte die Bärte abscheren und die Kleider bis zum Gesäß abschneiden. So fügte er ihnen eine große Schande zu. Dann schickte er sie wieder nach Hause. Aus Angst vor einer Vergeltung begannen die Ammoniter gegen Israel einen Krieg. In dessen Verlauf belagerten die Israeliten unter ihrem Feldherrn Joab die gut befestigte Stadt Rabba. David blieb in Jerusalem.

Nun geschah es eines Abends, daß David auf dem Dache des königlichen Palastes spazierenging. Als er sich über die Brüstung lehnte, erblickte er ein Weib, das sich badete. Es war von Anmut und schöner Gestalt. David zitterte und ließ nach ihr fragen und man sagte ihm: «Das ist Bathseba, das Weib des Hethiters Uria.» David, der König, ließ sie durch Boten zu sich holen, und er wohnte ihr bei. Bathseba wurde von ihm schwanger und ließ es David melden. Daraufhin befahl David ihren Mann Uria zu sich nach Jerusalem, fragte erst nach dem Kampf mit den Feinden und sprach dann zu ihm: «Geh in dein Haus hinab und wasche deine Füße!» Uria legte sich aber am Eingang des königlichen Palastes nieder und mied sein Haus. Das meldeten die Knechte David. Der fragte am nächsten Morgen Uria: «Warum hast du dein Haus nicht betreten?» Uria antwortete: «Die heilige Lade wohnt in einem Zelt und mein Gebieter Joab und alle seine Knechte lagern auf dem freien Felde. Wie sollte ich da in mein Haus gehen, um zu essen und zu trinken und bei meinem Weibe zu schlafen?» Da befahl ihm David, noch einen Tag zu bleiben, lud ihn zu sich zum Abendessen und

David und Bathseba

machte ihn trunken. Uria schlief aber wieder bei den Knechten vor dem Palast des Königs. Sein Haus mied er wieder. Am nächsten Morgen schrieb David einen Brief an seinen Feldherrn Joab. Er gab ihn Uria mit. Der steckte ihn zu sich und ahnte nichts Böses. Joab las den Brief, und dort hieß es: «Stelle den Uria im Kampf an die Spitze, wo er am heftigsten tobt, dann laßt ihn im Stich, damit er zu Tode kommt!» So nahm das Furchtbare seinen Lauf. Joab folgte dem Befehl seines Herrn, und Uria kam zu Tode. Ein Verbrechen war geschehen. Joab schickte nun einen Boten zu David. Der König geriet in Zorn, als er hörte, daß durch Unvorsichtigkeit und Leichtsinn beim vergeblichen Sturm auf die Stadt Krieger von ihm den Tod gefunden hatten. Aber der Bote sprach: «Wir sollen dir von Joab bestellen, auch dein Knecht Uria, der Hethiter, ist tot.» David sprach hierzu kein einziges Wort und schickte die Boten wieder fort. Bathseba aber, das Weib des Uria, vernahm von dem Tode ihres Mannes und hielt die Totenklage. Als die Trauerzeit um war, nahm David sie zu sich in seinen Palast. Sie wurde seine Frau und gebar ihm einen Sohn. Dem Herrn aber mißfiel, was David getan hatte.

DIE HEIMSUCHUNG DAVIDS

Als all dies Entsetzliche geschehen war, schickte der Herr den Propheten Natan zu David, der sprach: «Es waren zwei Männer, der eine war reich, der andere arm. Der Reiche besaß viele Schafe und Rinder, der Arme hatte aber nur ein einziges kleines Schäflein. Es wuchs auf und wurde zugleich mit seinen Kindern groß. Es aß von seinem Bissen, trank aus seinem Becher und schlief an seiner Brust, denn es war ihm wie ein Kind. Eines Tages besuchte ein Fremder den reichen Mann. Der aber wollte wegen des Wanderers keins von seinen vielen Schafen oder Kälbern schlachten. Deshalb nahm er das Lamm des armen Mannes und richtete es zu.» Als David die Geschichte Natans hörte, rief er zornig aus: «Der Mann muß sterben, und er soll das Lamm um ein Vielfaches ersetzen.» Aber der Prophet Natan sprach: «Du bist der reiche Mann. Alles hat dir der Herr gegeben. Mit Segen hat er dich überschüttet. Aber du hast den Uria durch das Schwert der Feinde umbringen lassen, weil du seine Frau begehrt hast. Für dies Verbrechen wird dich der Herr strafen. Dein eben geborener Sohn wird sterben.» Nach dieser Rede verließ Natan den Palast.

Davids Kind wurde schwer krank. David fastete um des Kindes willen, hüllte sich in ein Trauergewand und flehte den Herrn um Gnade und Vergebung an. Des Nachts schlief er auf der bloßen Erde. Die Ältesten baten ihn aufzustehen, aber er hörte nicht auf sie. Am siebten Tage starb das Kind. Keiner der Diener wagte, dem König die Botschaft zu bringen. Sie standen zusammen und flüsterten miteinander. Daran merkte David, daß sein Kind gestorben war, und fragte sie: «Ist das Kind tot?» Sie antworteten: «Ja, es ist tot.» David erhob sich von der Erde, wusch und salbte sich, zog andere Kleider an und betete im Haus des Herrn. Danach aß und trank er. Die Diener fragten ihn verwundert: «Als das Kind noch lebte, hast du gefastet und geweint. Nun da es tot ist, issest und trinkst du wieder. Warum?» David antwortete: «Ich habe gefastet, weil ich dachte, vielleicht ist der Herr gnädig und läßt das Kind leben. Nun, da es gestorben ist, was soll ich da noch fasten? Kann ich es etwa zurückholen?»

Und David tröstete seine Frau Bathseba und wohnte ihr wieder bei. Sie gebar ihm einen zweiten Sohn. Den nannten sie Salomo. Raab aber, die Stadt der Ammoniter, wurde von David im Sturm genommen, nachdem sein Feldherr Joab alles vorbereitet hatte. Große Schätze führte David mit sich heim, Gold und Silber. Die Bewohner wurden aus der Stadt vertrieben und mußten für den König arbeiten mit Sägen und eisernen Pickeln und Äxten. Und Ziegel mußten sie formen und brennen.

ABSALOM

David hatte viele Söhne. Einer von ihnen hieß Absalom. Seine Mutter war eine syrische Königstochter. Kein Mann in ganz Israel war so schön wie er. Dabei war er stark und gelenkig. Sein Körper war ohne Fehl vom Scheitel bis zur Sohle. Nur einmal im Jahr ließ er sich das Haar scheren, weil es ihm zu schwer wurde. Er schaffte sich einen zweirädrigen Eisenwagen an mit Pferden davor. Dazu fünfzig Trabanten, die vor ihm herliefen. Jeden Morgen wartete er am Torweg zum Palast seines Vaters, so wie eine Raubkatze auf der Lauer liegt. Dies war der Weg der Israeliten, die zum König wollten, um sich Recht sprechen zu lassen. An jeden trat Absalom dicht heran und fragte vertraulich, woher er käme und was sein Anliegen sei. Er gab jedem recht, bedauerte jeden, ganz gleich was für ein Anliegen vorlag. Zum Schluß sprach er jedes Mal: «Oh, wäre doch ich Richter des Landes. Ich wollte dir zu deinem Recht verhelfen.» Und wenn sich dann einer vor ihm verneigte, so streckte er seine Hand aus, ergriff und küßte ihn. So schmeichelte Absalom allen und schlich sich in die Herzen der Männer Israels. Dies Spiel trieb er vier Jahre lang. Dann sprach er zu seinem Vater, dem König: «Laß mich dem Herrn in Hebron ein Opfer bringen. Ich habe ein Gelübde abgelegt.» David ließ ihn in Frieden ziehen. Aber von Hebron aus schickte Absalom Kundschafter zu allen Stämmen Israels aus und bereitete einen Aufstand gegen den König vor. Die Verschwörung wuchs von Tag zu Tag und breitete sich aus wie ein Flächenbrand. Absalom wollte selbst König werden.

David erfuhr von der Verschwörung, als es schon zu spät war. So beschloß er, mit seinen Anhängern aus Jerusalem zu fliehen. Es bangte ihn um die Stadt, denn Absalom hätte sie mit der Schärfe seines Schwertes vernichtet. So verließ der König mit den Seinen den Palast. Alle die Treuen begleiteten David, das ganze Kriegsvolk, seine Familie. Sie stiegen den Felspfad hinab. Teilweise waren Stufen in den Stein gehauen. Dann überquerten sie den Bach Kidron und schlugen die Richtung nach der Steppe ein. Die Priester führten die heilige Bundeslade mit sich. Aber David ließ sie zurück nach Jerusalem tragen. Er ergab sich ganz in den Willen des Herrn. Er befahl auch seinem engsten Anhänger, dem Priester Zadok, in der Stadt zu bleiben. Zadok sollte ihm heimlich Nachricht zukommen lassen. So geschah es. David stieg weinend den Ölberg hinauf. Er verhüllte sein Haupt und ging barfuß, und alles Volk tat es ebenso. Auf dem Gipfel des Berges trat ein Mann namens Husai im zerrissenen Rock auf ihn zu und wollte in seiner Nähe bleiben und mit ihm fliehen. Husai war ein angesehener Knecht Davids, und jeder kannte ihn. Aber David sprach: «Hier kannst du nicht helfen. Schleich dich bei Absalom ein, daß wir ihn überlisten! Bei meinem Sohn ist der Verräter Ahitophel, der Vater meiner Frau Bathseba. Er haßt mich, und sein Rat gilt viel bei meinem Sohne. Seine Ratschläge versuche zu hintertreiben. Laß mir Nachricht zukommen durch den Priester Zadok.» David floh weiter in die Steppe und Husai ging nach Jerusalem, eben als Absalom einzog.

Zu David stieß auf dem Weg der Knecht Meribaals, des Enkels von Saul. Er führte ein paar gesattelte Esel mit sich, die trugen zweihundert Brote, hundert getrocknete Trauben, hundert frische Früchte und einen Schlauch mit Wein. Der König fragte den Knecht: «Was willst du damit?» Der Knecht Meribaals antwortete: «Die Esel sind zum Reiten für den König, die Brote, die Früchte und der Wein für die Diener.» David fragte nach Meribaal. Der war in Jerusalem geblieben und von David abgefallen. David selbst bestimmte, aller Besitz Meribaals sollte dem Knecht gehören. Dann begegnete der Zug einem Mann namens Simei. Der warf mit Steinen und Erdklumpen nach dem

König und beschimpfte und verfluchte ihn unflätig. Einer der Knechte Davids wollte ihm den Kopf abschlagen. Aber der König verbot es ihm.

Husai kehrte nach Jerusalem zurück und beugte vor Absalom seine Knie, tat so, als wäre auch er von David abgefallen. Absalom hielt Kriegsrat. Er befragte zuerst Ahitophel, dessen Rat so viel galt, daß man meinte, er wäre ein Gott. Der alte Mann sagte: «Laß mich sogleich mit zwölftausend Mann aufbrechen und David verfolgen, solange er noch müde und verzagt ist. Dann ist alles gewonnen, denn es geht ja nur um sein Leben.» Dieser Rat schien allen gut. Aber Absalom wollte doch erst noch Husais Rat hören. Der sprach: «Eben der Rat des Ahitophel war nicht gut, war nicht der rechte. Dein Vater und seine Krieger sind Helden. Sie sind wie eine Bärin, der man das Junge geraubt hat. So furchtbar und blind ist ihr Mut. Und sie sind wachsame und kluge Kriegsleute. Sammle darum erst dein ganzes Heer, damit du weit in der Übermacht bist. Dann führe es selbst an, und keiner unserer Feinde wird dir entkommen.» Dieser Rat dünkte Absalom der rechte. Als Ahitophel erkannte, daß er sich nicht durchsetzen konnte und daß sein Rat nicht befolgt wurde, sattelte er seinen Esel und ritt auf ihm heim in seine Stadt. Dort bestellte er erst sein Haus, dann erhängte er sich.

David erfuhr inzwischen durch seine Mittelsmänner, was alles geschehen war, und floh hastig über den Jordan. Dort warteten bereits viele Freunde auf ihn. Sie hatten Ruhebetten und Decken, Töpfe und irdenes Geschirr mitgebracht, aber auch Weizen, Gerste, Mehl, geröstetes Korn, Bohnen, Linsen, Honig, Sahne, Schafs- und Kuhkäse. So waren David und seine Leute wohlversorgt. Von dem Zug durch die Wüste waren sie hungrig, dürsteten und fühlten sich erschöpft und müde.

Am nächsten Tag rückte Absalom mit großer Übermacht heran, und es kam zur Schlacht. Die Knechte Davids kämpften wie Löwen und besiegten ihre Feinde. Es fielen zwanzigtausend Mann. Absalom ritt unter dem dichten Geäst einer weit ausladenden Eiche im vollen Galopp, so daß seine Haare emporwirbelten und er sich damit an einem starken Zweig verfing. Während das Pferd unter ihm davonsprang, blieb er mit seinen Haaren an der Eiche hängen und schwebte so zwischen Himmel und Erde. Ein Krieger sah es und meldete es Joab, Davids Feldherrn. Der fuhr ihn an und sprach: «Warum hast du ihn nicht auf der Stelle totgeschlagen? Ich hätte dir zehn Lot Silber und ein Wehrgehänge gegeben.» Aber der Mann erwiderte: «Der König hat es verboten, denn er will, daß sein Sohn am Leben bleibt, gleich was er Böses getan hat.» Joab nahm drei Spieße und stieß sie Absalom ins Herz, als er verzweifelt an dem Aste hing. Dann schlugen die zehn Waffenträger Joabs den Aufrührer vollends tot. Seinen Leichnam warfen sie in eine tiefe Grube und errichteten darüber ein Mal aus Steinen. David

Absalom hängt an der Eiche

geriet durch den Tod seines Sohnes außer sich. Er weinte und schrie: «O mein Sohn! Absalom, mein Sohn, mein Sohn!» So schrie und härmte er sich ab. Das Volk erfuhr davon und der Sieg wurde ihm bitter. Der Feldherr Joab ergrimmte furchtbar und sprach zu seinem Herrn: «Wenn wir alle tot wären, aber dein Sohn Absalom noch lebte, so wäre es dir eben recht. Zeige dich dem Volk und richte es auf. Sonst verläßt es dich über Nacht, und dann wird alles schlimmer wie zuvor.» Da setzte sich David in das Tor und alles Volk strömte zu ihm. Er strafte keinen seiner Feinde, auch den Simei nicht, der ihn so beschimpft hatte.

DAVIDS VOLKSZÄHLUNG

Als David alt war, verlangte es ihn danach, sein Volk zu zählen. Seine Heeresobersten, vor allem Joab, erhoben Einspruch. Aber er beharrte auf seinem Willen. So fand die erste Volkszählung, das heißt die Zählung aller waffenfähigen Männer statt. In Israel wurden achthunderttausend Krieger gezählt, in Juda allein fünfhunderttausend. Aber David bereute diese Volkszählung, ihn reute, daß er die Männer gezählt hatte wie Steine oder wie das Vieh auf dem Markt, daß er sie alle gleich gemacht hatte, einen wie den andern. So hatte er sein eigenes Volk entheiligt, um seine eigene Macht zu kennen. Er erschrak über das, was er getan hatte, und bat den Herrn um Vergebung. Der Herr aber ließ ihm durch den Propheten sagen: «Eins von drei Übeln kannst du dir wählen, das der Herr dir zufügt. Entweder kommt über das Land eine dreijährige Hungersnot, oder du mußt drei Monate lang vor deinen Feinden fliehen, oder drei Tage lang herrscht in deinem Lande die Pest.» Zerknirscht und von Entsetzen erfaßt, wählte David die Pest. Die Seuche begann gerade zur Zeit der Weizenernte. Siebzigtausend Menschen wurden dahingerafft. David schaute den Engel des Herrn, wie er das Volk mit der Krankheit schlug. Er betete verzweifelt: «Herr, ich habe mich vergangen. Die Israeliten aber, meine Schafe, was haben sie getan? Wende doch deine Hand nur gegen mich und meine Familie!» Der Engel streckte schon seine Hand gegen Jerusalem aus, da gebot ihm der Herr Einhalt. Der Herr erhörte Davids Opfergebete und beendete die Ausbreitung der Pest.

DAVIDS VERMÄCHTNIS UND TOD

Als David alt und hochbetagt war, wurde sein Körper nicht mehr warm. Man hüllte den Greis in Decken, aber es nützte nichts. Zitternd und abgehärmt quälte er sich auf seinem Lager. Die Diener schickten ein Mädchen zu ihm, das sollte ihn pflegen und erwärmen. Aber er wies es von sich. Als der König so sterbenskrank darniederlag, begann bereits der Streit um seine Nachfolge. David salbte gegen alle Widerstände seinen Sohn Salomo zum König, obwohl er nicht der älteste war. Seiner Frau Bathseba hatte er es versprochen. Sie harrte an seinem Sterbebett. David richtete sich von seinem Lager auf und tat seinem Sohn Salomo seinen letzten Willen kund. Er sprach: «Ich gehe jetzt den Weg aller Welt. So sei denn stark und sei ein Mann! Tue getreu deine Pflicht gegen den Herrn, deinen Gott! Folge dem Gesetz des Moses in allem! Sei dem Herrn treu mit ganzem Herzen, mit ganzer Seele!» Dann trug David seinem Sohne auf, Joab mit dem Tode zu strafen, weil er seinerzeit den Feldherrn Abner und Amusa in Friedenszeit ermordet hatte. Das war eine noch ungesühnte Schuld. Dann hatte David seinerzeit beim Herrn geschworen, den Simei, der ihn so schandhaft verflucht hatte, nicht zu töten. So war er der Strafe entkommen. Auch das schien dem Sterbenden unrecht, und er verlangte seine Hinrichtung. Diesen beiden Verlangen leistete Salomo nach seinem Regierungsantritt später unverzüglich Folge.

Als David gestorben war, wurde er in Jerusalem begraben. Vierzig Jahre war er König gewesen, sieben Jahre in Hebron und dreiunddreißig Jahre in Jerusalem.

Davids Vermächtnis und Tod

SALOMOS WEISHEIT

Nach Davids Tod bestieg Salomo den Thron. Er festigte ihn mit starker Hand. Einmal erschien der Herr dem Salomo im Traum und fragte: «Was soll ich dir geben?» Da wünschte sich Salomo Weisheit. Das gefiel dem Herrn, denn Salomo hätte sich ja auch Reichtum, ein langes Leben oder den Tod seiner Feinde wünschen können. Und der Herr segnete Salomo mit Weisheit, aber zusätzlich auch mit Reichtum, Ehre und einem langen Leben. Salomo war begabt mit viel Verstand und hoher Einsicht. Er wußte mehr als alle anderen Menschen, nichts war ihm unbekannt. Er kannte die Tiere ebenso wie die Pflanzen und Steine, wußte alle die Namen. Mit der Lebensweise der Tiere war er vertraut. Die verschiedenen Steine vermochte er alle genau zu unterscheiden. Aus allen Völkern kamen die Menschen zu ihm, um ihn zu hören.

SALOMO ALS RICHTER

Eines Tages trugen zwei Frauen ihren Streit vor Salomo in den Gerichtssaal. Die eine sprach: «König und Herr! Ich und diese Frau wohnen zusammen in einem Hause. Ich gebar ein Kind, und drei Tage nach mir gebar auch diese Frau. Außer uns war niemand da, nur wir beide. Das Kind dieser Frau starb, denn sie hatte es nachts im Schlaf erdrückt. Während ich schlief, schlich sie zu mir und vertauschte ihr totes Kind gegen mein lebendiges. Als ich vom Lager aufstand, um mein Kind zu stillen, da war es tot. Als ich es aber am Morgen anschaute, erkannte ich sofort, daß es nicht mein eigenes

Salomo als Richter

Kind war.» Die andere Frau widersprach dem: «Nein, mir gehört das lebende Kind und dir das tote.» So stritten sie sich vor dem König; jede wollte recht behalten. Salomo ließ sich sein Schwert bringen und befahl seinen Knechten: «Schneidet das Kind in der Mitte entzwei, daß jede Frau eine Hälfte erhält.» Erschrocken rief die Frau, deren Kind das lebende war, denn ihr Herz war voller Liebe zu dem Kinde. «Ach Herr, gebt ihr das lebende Kind, nur tötet es nicht.» Die andere Frau aber sprach: «Es sei weder mein noch dein. Schneidet zu!» Aber König Salomo entschied: «Die gesagt hat: ‹Gebt ihr das lebende Kind, nur tötet es nicht›, ist die wahre Mutter.» Alle in Israel priesen das Urteil Salomos.

DER TEMPELBAU

Im vierten Jahr seiner Regierung begann Salomo mit dem Tempelbau. Sein Vater hatte dafür schon Schätze gehäuft und vieles vorbereitet. Gern hätte David den Tempel selbst gebaut. Aber der Herr hatte es ihm untersagt, weil er ein Kriegsmann war und viel Blut vergossen hatte. So übertrug der Vater die Aufgabe seinem Sohn. Salomo pflegte mit allen Reichen in seiner Umgebung einen regen Austausch, so auch mit dem König von Tyrus, der schon ein Freund seines Vaters gewesen war. Dieser lieferte ihm für den Bau die Zypressen und Zedern vom Libanon. Salomo gab ihm dafür Weizen. Sieben Jahre bauten die Handwerker an dem Tempel. Dann war er vollendet, ein Wunder an Vollkommenheit der richtigen Maße. Er war nach dem Vorbild der Stiftshütte errichtet. Der Eingang im Osten führte in die Vorhalle etwa zehn mal zwanzig Ellen groß. Sie war nur halb so tief als breit. Daran schloß sich der Langraum an. In ihm waren der Räucheraltar, der siebenarmige Leuchter und der Tisch mit den Schaubroten. Für alles, was aus Gold und Erz geschmiedet wurde, ließ Salomo den Schmied Hiram aus Tyrus kommen. Er verstand, das Erz zu gießen und zu schmieden. Niemand tat es ihm gleich, denn dergleichen konnten die Israeliten nicht. Der dritte, innerste Raum lag ganz im Westen. Das Allerheiligste war durch eine Holzwand abgetrennt. In der war eine fünfeckige Pforte, die ein vierfarbiger Vorhang in Weiß, Purpur, Hyazinthfarben und Scharlach verdeckte. Hinter dem Vorhang stand die Bundeslade mit den Cherubim. Hier herrschte Dunkelheit. Der Tempel war aus Stein gebaut, seine Wände und Decken inwendig mit übergoldetem Zedernholz bekleidet. Cherubim, Palmen und Blumen waren darein geschnitzt. Auf dem Fußboden lagen dicht bei dicht goldene Platten.

Im feierlichen Zug wurde die Bundeslade in das Allerheiligste getragen. Nur der Hohepriester hatte hier Zugang. Einmal im Jahr betrat er den Raum. In der Lade selbst waren die steinernen Tafeln, die Moses hineingelegt hatte. Es waren die Tafeln des Bundes. Als die Priester das Heiligtum verließen, erfüllte die Wolke des Herrn den Tempel. So war in allem die Herrlichkeit des Herrn.

DIE KÖNIGIN VON SABA

Salomo baute nicht nur den Tempel, sondern auch einen neuen Palast von großer Pracht. Und die Stadt Jerusalem stattete er mit herrlichen Bauten aus. Auf dem Lande ließ er viele Vorratshäuser errichten und ließ sie füllen für den Fall einer Hungersnot. Und Festungen für das Kriegsvolk legte er an. Solange er regierte, waren die Bauleute tätig. Eine Fron, die die Menschen oft hart ankam.

Auch die Königin von Saba vernahm von Salomos Weisheit und Ruhm. Sie reiste mit einer großen Karawane nach Jerusalem. Sie wollte Salomo mit Rätseln erproben. Ihre Kamele trugen Gold und Spezereien, Edelsteine in Menge, vor allem Weihrauch. Sie geriet vor Staunen außer sich, als sie das Leben und Treiben an Salomos Hofe sah. Sie stellte dem König alle ihre Fragen, ließ keine einzige aus. Salomo wußte auf jede Frage die richtige Antwort. Aus Bewunderung schenkte ihm die Königin Gold und Edelsteine in Fülle, dazu viele Spezereien und Weihrauch. So nahm Salomo zu an Reichtum und Weisheit.

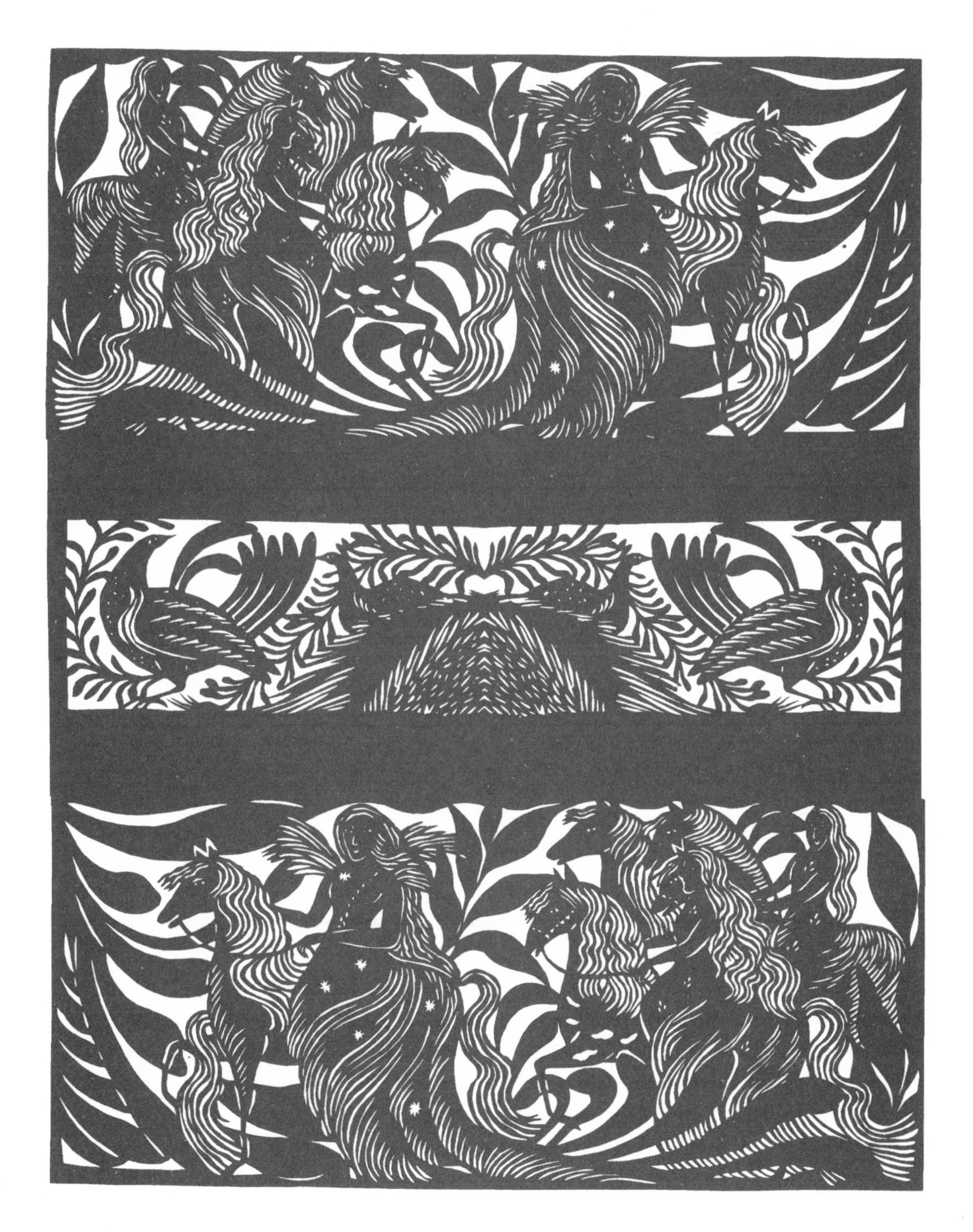

Die Königin von Saba

SALOMOS GÖTZENDIENST

Salomo nahm sich viele heidnische Frauen. Als er alt war, verführten sie ihn zum Götzendienst, so daß er den Herrn vergaß und alle Weisheit verlor. Der Herr erzürnte und sprach zu ihm: «Weil du die Gebote übertreten hast, will ich dein Reich nach deinem Tode zerreißen.» Salomo regierte vierzig Jahre. Gegen Ende seines Lebens begann sein Reich zu zerfallen. Er wurde in der Stadt Davids begraben.

DIE REICHSSPALTUNG

Sein Sohn Rehabeam bestieg den Thron. Bei seinem Regierungsantritt baten ihn die Israeliten um eine Erleichterung des harten Jochs, das ihnen Salomo auferlegt hatte, um seine vielen Bauten erstellen zu können. Rehabeam versprach, es sich zu überlegen, und berief deshalb den Rat der Alten. Die rieten ihm alle, die Fron zu mildern, rieten ihm, dem Volk willens zu sein, dann würde es ihm in allem gehorchen. Danach beriet sich Rahabeam auch noch mit den Jungen. Sie rieten ihm, er solle das Volk noch mehr knechten als vorher. Es würde ja sonst doch nur übermütig. Diesem Rat folgte der König und sprach zu dem Volk: «Mein Vater hat euch mit Geißeln gezüchtigt. Ich aber will euch mit Skorpionen züchtigen.» Diese unbeugsame Härte in Rede und Tat führte zur Spaltung des Reiches. Rehabeam blieb nur ein kleiner Teil von Israel, nämlich das Land Benjamin und Juda mit der Hauptstadt Jerusalem. So wurde er dort König der Juden. Hier war das Land öde und unfruchtbar, war zum großen Teil Wüste und Stein. Die anderen zehn Stämme wählten Jerobeam zum König. Ihnen gehörten die fruchtbaren nördlichen Länder. Hier wuchs und gedieh alles im Überfluß. Doch bald verfiel König Jerobeam dem Götzendienst. Er betete Stierbilder als Götter an. Darüber erzürnte der Herr und nahm ihm alles. Auch Rehabeam verfiel dem Götzendienst. Im fünften Jahr seiner Regierung fielen die Ägypter in sein Reich ein und plünderten Jerusalem mit dem Tempel und Palast aus. Der Herr hatte mit den Königen von Juda jedoch Erbarmen, weil sie Nachfahren von David waren.

ELIAS UND ELISA

DER PROPHET ELIAS BEI KÖNIG AHAB

In Israel, also im nördlichen Reich, löste ein Königshaus das andere ab. Die Könige dienten Baal und seinen Götzen. Einer dieser Könige hieß Ahab. Sein Thron stand in der Hauptstadt Samaria. Dort errichtete er einen Altar und Tempel für Baal. Den Herrn vergaß er ganz. Schlimmer noch als er selbst war seine Frau Isebel. So schlugen die Wogen hoch auf im Reiche Israel. Die Gemüter der Menschen verfinsterten sich immer mehr. In dieser Stunde sprach Elias, der Diener des Herrn, zu König Ahab: «So wahr der Herr lebt, der Gott Israels, es wird in den nächsten Jahren weder Tau noch Regen fallen, ich sage es denn.» Hiernach verschwand Elias, und der Herr sprach zu ihm: «Flieh und verbirg dich am Bach Krith! Sein Wasser kannst du trinken; und den Raben gebiete ich, daß sie dir Nahrung bringen.» Dem folgte Elias. Die Raben brachten ihm an jedem Morgen Brot und am Abend Fleisch. Wenn ihn dürstete, trank er aus dem Bache. Das Land aber suchte eine furchtbare Dürre heim. Kein Regentropfen fiel.

ELIAS BEI DER WITWE

Elias ging in die Stadt Sarepta. So hatte es ihm der Herr geboten. Vor dem Stadttor las gerade eine Witwe Holz auf. Elias rief sie an und sprach: «Hole mir etwas Wasser zum Trinken!» Als sie es mit dem Kruge holen wollte, rief er ihr nach: «Bring mir doch auch einen Bissen Brot mit!» Sie antwortete: «Ich habe nur noch etwas Mehl und Öl. Daraus will ich mir und meinem Sohn etwas backen. Deshalb sammle ich gerade das Holz.

Der Prophet Elias bei Ahab

Danach müssen wir sterben.» Elias erwiderte: «Sei ohne Sorge! Gehe heim und backe den Kuchen und bring ihn mir heraus! Für dich und deinen Sohn kannst du danach backen. Das Mehl in deinem Topf wird dir nicht ausgehen und das Öl in deinem Krug nicht versiegen bis auf den Tag, da der Herr dem Lande Regen spendet.» Die Frau folgte der Weisung des Elias. Alles geschah, wie er es gesagt hatte. Das Mehl ging nicht aus, und das Öl versiegte nicht. Mutter und Sohn hatten Tag für Tag zu essen.

ELIAS ERWECKT DEN SOHN DER WITWE

Kurze Zeit danach aber starb der Sohn der Frau. Sie sprach voll Gram zu Elias: «Weil du zu mir gekommen bist, wurde meiner Schuld gedacht und mein Sohn starb.» Elias nahm ihr den Sohn aus den Armen, trug ihn in das Obergemach und legte ihn auf sein Bett. Dann betete er zum Herrn, streckte sich dreimal über den Knaben hin und rief: «O Herr, mein Gott, laß doch die Seele dieses Knaben wieder in ihn zurückkehren.» Der Herr erhörte das Gebet des Elias. Die Seele kehrte zurück, und der Knabe lebte. Elias trug ihn nun wieder hinab zu seiner Mutter. Die sprach voller Freude: «Jetzt weiß ich, daß du ein Gottesmann bist und das Wort des Herrn in deinem Munde Wahrheit ist.»

ELIAS UND DIE BAALSPRIESTER AUF DEM BERGE KARMEL

Das dritte Jahr schon beherrschten die Dürre und Trockenheit das Land. Nirgendwo vermochte der König Wasser zu finden. Unversehens trat ihm Elias entgegen und forderte ihn auf, alle Baalspriester auf dem Berge Karmel zu versammeln. Ahab gehorchte und schickte überallhin Boten aus. Vierhundertfünfzig Baalspriester kamen und vierhundert Priester der Göttin Ashera. Und viel Volk war dort. Die Baalspriester warteten an ihren prächtigen Altären. Nun wurden zwei Stiere geholt. Von denen durften sich die Baalspriester einen auswählen, den sollten sie opfern. Aber sie durften den Holzstoß für das Opfer nicht anzünden. Elias wollte danach mit dem zweiten Stier ein gleiches tun. Der wahre Gott sollte sich im Feuer offenbaren. Dem allen folgten die Baalspriester. Sie riefen den Namen Baals an vom Morgen bis zum Mittag. Aber kein Laut, keine Antwort. Da gerieten sie in Raserei und ritzten sich selbst mit ihren Schwertern. Aber nichts geschah.

Jetzt rief Elias das Volk zu sich. Er stellte den Altar des Herrn wieder her. Dazu nahm er zwölf Steine, nach der Zahl der zwölf Stämme des Erzvaters Jakob. Um den Altar zog er einen Graben, schichtete das Holz auf, zerstückte den Stier und legte ihn auf den Holzstoß. Nun mußte das Volk dreimal vier Krüge mit Wasser füllen und auf den Holzstoß gießen. Das Wasser füllte den Graben. Elias betete zum Herrn. Da fiel Feuer vom Himmel herab und verbrannte alles, sogar das Wasser im Graben. Da fiel das Volk nieder auf sein Angesicht und betete zum Herrn. Elias befahl dem Volk, alle Baalspriester gefangenzunehmen und zum Bache Kison zu bringen. Dort tötete er sie alle selbst mit dem Schwert und sprach zu König Ahab: «Geh hinauf und iß und trink; schon höre ich das Rauschen des Regens.» Dann schickte er einen Diener voraus, nach dem Meere zu sehen. Siebenmal mußte er ihn schicken. Dann stieg eine kleine Wolke vom Meer auf, groß wie eine Hand. Die wurde, ehe man sich's versah, riesig und schwarz. Es folgte ein gewaltiger Regen.

DIE GOTTESERSCHEINUNGEN AM HOREB

Als Ahab seiner Frau, der Königin Isebel, erzählte, was geschehen war, geriet diese in Wut und Haß und ließ Elias durch einen Boten den Tod androhen. Elias fürchtete sich und floh, um sein Leben zu retten. Er gelangte in die Wüste und setzte sich unter einen Ginsterbusch mit weißen, leichten Blüten. Er sehnte sich danach zu sterben, legte sich schließlich schlafen. Plötzlich rührte ihn ein Engel an, der sprach: «Steh auf und iß!» Er schaute um sich und fand über seinem Haupte geröstetes Brot und einen Krug Wasser. Und er aß und trank und legte sich wieder schlafen. Als er erwachte, sprach der Engel zum zweiten Mal zu ihm: «Steh auf und iß! Sonst ist der Weg für dich zu weit.»

Elias und die Baalspriester

Dies wiederholte sich vierzig Tage lang und vierzig Nächte. Während dieser Zeit wanderte Elias ohne Unterlaß, bis er zum Berge Horeb kam, wo einst Moses gewesen war. Einsam war es hier, nirgendwo lebte ein Mensch. Elias übernachtete in einer Höhle, schlief in ihrer Geborgenheit.

Am Morgen hörte er die Stimme des Herrn: «Was tust du hier, Elias?» Elias antwortete: «Gekämpft habe ich für den Herrn, den Gott der Heerscharen. Aber Israel hat dich verlassen. Ich allein bin übriggeblieben. Aber nun trachten sie mir nach dem Leben.» Der Herr aber sprach: «Geh hinaus und tritt auf den Berg vor den Herrn!» Siehe, da ging der Herr vorüber. Ein großer, gewaltiger Sturm, der Berge zerriß und Felsen zerbrach, kam vor dem Herrn her; aber der Herr war nicht in dem Sturm. Nach dem Sturm bebte die Erde, aber der Herr war nicht in dem Erdbeben. Nach dem Erdbeben ein Feuer, aber der Herr war nicht in dem Feuer. Nach dem Feuer das Flüstern eines leisen Wehens. Als Elias dies hörte, verhüllte er sein Angesicht mit dem Mantel, ging hinaus und trat an den Eingang der Höhle. Da sprach eine Stimme zu ihm: «Was tust du hier?» Elias antwortete: «Geeifert habe ich für den Herrn. Aber Israel hat dich verlassen. Ich bin allein übriggeblieben. Aber mir trachten sie nach dem Leben.» Der Herr schickte Elias nach Syrien zu dem König Hasael. Er sollte dort Jehu zum König von Israel salben. Elisa aber, der Sohn Saphats, sollte ihm als Prophet nachfolgen. Elias machte sich auf den Weg.

DIE BERUFUNG DES ELISA

Elias traf Elisa, den Sohn Saphats, wie er gerade pflügte. Zwölf Joch Rinder pflügten, und er selbst war beim zwölften. Da warf ihm Elias im Vorübergehen seinen Mantel über. Elisa verließ seine Rinder, verabschiedete sich von seinem Vater und seiner Mutter, folgte dem Elias und diente ihm.

Die Gotteserscheinungen am Horeb

NABOTHS WEINBERG

Naboth besaß einen Weinberg neben dem Palaste des Königs Ahab. Den Weinberg wollte Ahab besitzen, denn er wollte sich darauf einen Gemüsegarten anlegen. Er bot Naboth zum Tausch einen anderen Weinberg an und den Kaufpreis dazu. Aber Naboth sprach: «Der Weinberg ist das Erbe meiner Väter. Den verkaufe ich nicht.» Zornig verließ ihn Ahab und kehrte mißmutig heim. Dort erzählte er alles seiner Frau Isebel. Die hetzte sofort: «Bist du eigentlich noch König in deinem Lande? Aber habe keine Bange, ich verschaffe dir den Weinberg.» Sie schrieb Briefe im Namen Ahabs und versah sie mit seinem Siegel. Die Ältesten und Vornehmsten der Stadt, dazu gehörte auch Naboth, lud sie zu einer Feier ein. Naboth saß obenan und führte den Vorsitz. Neben ihm saßen zwei nichtswürdige, schlechte Gesellen. Das hatte die Königin so bestimmt und mit den beiden abgesprochen. Die zwei Würdelosen legten Zeugnis wider Naboth ab, verklagten ihn laut: «Naboth hat Gott und dem König geflucht.» Es waren also zwei Zeugen und das genügte nach dem Gesetz zur Verurteilung. Naboth wurde aus der Stadt geführt und zu Tode gesteinigt. Die Königin frohlockte, und Ahab nahm den Weinberg in Besitz.

Der Herr aber sandte Elias zu Ahab und gab ihm folgende Worte in den Mund: «Hast du nach deinem Mord auch schon das Erbe angetreten? An der Stelle, wo die Hunde Naboths Blut leckten, werden sie auch dein Blut lecken. Isebel aber soll von den Hunden an der Mauer der Stadt aufgefressen werden.» Als Ahab dies hörte, zerriß er sein Gewand, legte ein Trauerkleid an und fastete. Alles geschah so wie verkündet. Der König wurde im Krieg mit den Syrern durch einen Pfeilschuß schwer verwundet, hielt sich jedoch im Kampfwagen aufrecht, verblutete aber dabei. Die Krieger brachten den toten König auf seinem Kampfwagen in die Stadt. Dort begruben sie ihn. Die Hunde aber leckten das Blut von den Wagenspeichen, genau dort, wo Naboth zu Tode gesteinigt worden war.

Naboths Weinberg

Kurze Zeit danach wurde Jehu König von Israel. Als man dies Isebel meldete, bestrich sie ihr Gesicht mit Schminke, schmückte sich festlich und sah zum Fenster nach dem Stadttor hinaus, wie der neue König dort einzog. Aber König Jehu ließ sie von seinen Dienern auf die Straße hinab werfen. Die Stadtmauer wurde mit ihrem Blut bespritzt und die Hufe der Pferde zertraten sie vollends. Dann kamen die Hunde und fraßen sie auf. Nur Schädel, Arme und Füße ließen sie zurück.

DIE HIMMELFAHRT DES ELIAS

Elias und sein Jünger Elisa wanderten durch das Land. Der Jünger blieb immer in Treue bei seinem Meister und verließ ihn nicht. Schließlich erreichten die beiden den Fluß Jordan. Hier nahm Elias seinen Mantel, wickelte ihn zusammen und schlug damit auf das Wasser. Es teilte sich, so daß beide trockenen Fußes hinübergelangten. Am anderen Ufer sprach Elias: «Erbitte dir, was ich tun soll, ehe ich von dir genommen werde!» Elisa bat: «Bewirke, daß dein Geist wie ein zweites Ich in meiner Seele wohnt!» Das sollte ihm zuteil werden. Auf einmal nahte ein feuriger Wagen mit feurigen Rossen und trennte die beiden. Elias fuhr im Wetter gen Himmel, während Elisa schrie: «Mein Vater, mein Vater! Wagen Israels und seine Reiter!» Dann sah er ihn nicht mehr. Er faßte seine eigenen Kleider und zerriß sie in zwei Stücke. Danach hob er des Elias Mantel auf, trat an den Jordan, schlug mit dem Mantel auf das Wasser, das sich teilte, und erreichte trockenen Fußes wieder das andere Ufer. Die Menschen, die von ferne alles mitangesehen hatten, sprachen: «Der Geist des Elias ruht auf Elisa.» Fünfzig Männer suchten drei Tage lang nach Elias, konnten ihn aber nicht finden.

DIE TATEN DES ELISA

Elisa weilte in der Stadt Jericho. Dort floß schlechtes, ungesundes Wasser. Deshalb war das Land öde und unfruchtbar. Die Bewohner baten ihn um Hilfe. Er ließ sich eine Schale mit Salz bringen, streute es in die Quelle und rief den Herrn an. Da wurde das Wasser wieder rein und gesund.

Danach wandelte er die Straße nach Bethel hinauf. Da liefen ein paar Knaben gerade aus der Stadt, rannten hinter ihm her und verspotteten ihn, weil er einen Kahlkopf hatte. Schließlich drehte er sich um und fluchte ihnen im Namen des Herrn. Daraufhin stürzten aus dem Walde zwei Bären und zerrissen zweiundvierzig von den Kindern.

Einmal flehte eine Frau Elisa um Hilfe an. Ihr gottesfürchtiger Mann war gestorben, und sie lebte mit ihren beiden Söhnen allein. Sie plagten jedoch Schulden, und nun verlangten die Gläubiger ihre beiden Knaben als Sklaven. Geld war keines im Hause. Nichts war mehr da, nur ein Krug Öl. Elisa befahl der Frau, von den Nachbarn alles Tongeschirr zu borgen, es in ihrem Hause aufzustellen, die Tür zu verschließen und mit dem Öl aus dem Krug alle Gefäße vollzugießen. Die Frau tat, wie ihr geraten. All die vielen Gefäße goß sie voller Öl. Als sie das letzte Gefäß bis zum Rande gefüllt hatte, floß kein Öl mehr aus dem Krug. Nun verkaufte sie das Öl auf dem Markt und wurde dadurch aller Schulden ledig.

In der Stadt Sunem wohnte eine reiche Frau, die führte ein frommes Leben. Sie gab Elisa immer zu essen und richtete ihm sogar eine kleine Kammer ein, in der er wohnen konnte, so oft er in der Stadt weilte. Einmal kehrte Elisa wieder bei ihr ein und wollte ihr etwas Gutes zukommen lassen. Sie meinte aber, sie hätte alles. Deshalb äußerte sie keinen Wunsch. Nun hatte sie aber keine Kinder, und ihr Mann war bereits alt. Elisa weissagte ihr übers Jahr einen Sohn, ihr zur Freude, die Frau wollte es nicht glauben. Aber siehe, sie ward schwanger und gebar einen Sohn.

Jahre später, als der Knabe schon groß war und seinem Vater auf dem Felde half, klagte er über Kopfschmerzen, so daß ihn schließlich ein Knecht nach Hause tragen mußte. Dort starb er in den Armen seiner Mutter. Die trug den Leichnam in die Kammer des Elisa, verschloß hinter sich die Tür und ritt auf einer Eselin zum Berge Karmel. Sie wußte, daß sich dort der Gottesmann aufhielt. Als sie ihn gefunden hatte, umfaßte sie seine Füße und schüttete ihm ihr Herz aus. Elisa schickte seinen Diener Gehasi mit einem Stab zu dem Knaben. Den sollte er ihm auf das Antlitz legen. Aber das genügte der Frau nicht, und sie ließ nicht eher locker, bis Elisa mit ihr kam. Der Diener war ihnen vorausgeeilt, tat, wie ihm sein Herr geheißen, aber der Knabe gab kein Lebenszeichen von sich. Elisa schloß sich mit ihm ein und betete zum Herrn. Dann legte er sich über den Knaben, tat seinen Mund auf des Knaben Mund, seine Augen auf des Knaben Augen, seine Hände auf des Knaben Hände. Nun wurde der Leib des Knaben wieder warm. Elisa erhob sich, schritt hin und her und beugte sich wieder über den Knaben. Der nieste siebenmal und schlug die Augen auf, ward wieder lebendig und gesund.

Einmal herrschte eine schlimme Hungersnot. Ein Mann brachte dem Elisa zwanzig Gerstenbrote und zerriebene Körner in einer Lade. Der Prophet ließ beides den Leuten vorsetzen. Es waren aber sehr viele. Am Ende war aber noch viel übrig.

DIE HEILUNG DES AUSSÄTZIGEN

Ein reicher und tapferer Feldherr der Syrer mit Namen Naeman war über und über mit Aussatz bedeckt. Er hörte von Elisa und reiste zu Pferde zu ihm. Das Haus war jedoch verschlossen. Elisa ließ ihm durch seine Diener sagen, er solle sich siebenmal im Jordan waschen. Darüber empörte sich Naeman und rief aus: «Er muß doch meine Krankheit bereden und seinen Gott anrufen. Sind die Flüsse in Syrien denn nicht genauso rein?» Er wollte sofort wieder fortreisen, ließ sich dann aber doch von seinem Diener bereden, zu dem Fluß zu fahren; es war ja auch keine große Aufgabe. Und siehe, er badete siebenmal im Jordan und war anschließend wieder rein und gesund. Nun wollte er aus Dankbarkeit dem Elisa wertvolle Geschenke machen, aber der nahm nichts an.

Die Heilung des Aussätzigen

Als Naeman wieder eine Strecke weit auf dem Nachhauseweg war, holte ihn der Diener von Elisa ein und sprach: «Mein Herr läßt dich um ein Talent Silber und zwei Feierkleider bitten, denn es sind unerwartet zwei Jünger zu ihm gekommen.» Diese Bitte erfüllte Naeman mit Freuden und gab dem Diener statt einem, zwei Talente Silber. Zu Hause versteckte der Diener die Geschenke und tat so, als wäre nichts gewesen. Aber der Prophet durchschaute ihn und sprach: «Jetzt besitzest du genügend Silber, um dir Kleider und Ölgärten, Weinberge, Schafe und Rinder, Knechte und Mägde zu kaufen. Aber auch der Aussatz Naemans wird dir anhängen für immer.» So geschah es. Der Diener verließ das Haus, über und über mit Aussatz bedeckt.

ZWEI WEITERE WUNDER ELISAS

Der Raum, wo Elisa wohnte, wurde seinen Jüngern zu eng. Deshalb begannen sie, sich eine neue Behausung zu bauen. Sie fällten am Ufer des Jordans Bäume. Dabei rutschte einem unversehens die Axt aus der Hand, fiel ins Wasser und war nicht mehr zu sehen. Der Jünger jammerte laut, denn er hatte sich die Axt geborgt. Elisa ließ sich genau die Stelle zeigen, nahm ein Stückchen Holz und warf es auf dieselbe Stelle ins Wasser. Sofort schwamm das Eisen wieder herauf, und der Jünger konnte es ergreifen.

So vollführte Elisa viele Wundertaten. Er starb im hohen Alter und wurde in sein Grab gelegt. Etwas später fielen feindliche Kriegsscharen in das Land. Eine solche ritt gerade heran, als die Israeliten einen Toten begraben wollten. Als die Feinde nahten, warfen sie den Toten hastig in das Grab des Elisa. Dadurch, daß der Tote mit den Gebeinen des Gottesanbeters in Berührung geriet, wurde er wieder lebendig, stellte sich auf die Füße und ging zu den Seinen nach Hause.

DIE PROPHETEN

DER PROPHET JONA

An Jona erging das Wort des Herrn: «Auf! Gehe nach Ninive und predige wider die furchtbare Stadt, denn ihre Bosheit liegt offen vor mir!» Aber Jona floh vor dem Herrn. Er sollte ja nicht wider die Israeliten, also wider sein eigenes Volk sprechen und es zur Besserung aufrufen, sondern wider die Bewohner von Ninive, die Stadt der Assyrer, wider die Unterdrücker. Er suchte im Hafen von Joppe ein Schiff über das Meer nach Tharsis, und er fand eins. Er bezahlte den Fahrpreis und stieg ein. So hoffte er, den Augen des Herrn zu entgehen. Auf dem Meer brach ein gewaltiger Sturm los. So war es der Wille des Herrn. Das Schiff wurde hin und her geworfen und drohte zu scheitern. Die Seeleute fürchteten sich, und jeder schrie zu seinem Gott. Sie warfen all ihr Gerät über Bord in das Meer, damit das Schiff leichter würde. Jona aber war in den untersten Schiffsraum hinabgestiegen und schlief fest. Da stieg der Schiffshauptmann zu ihm hinab und rüttelte ihn wach und sprach: «Wie kannst du schlafen? Auf! Rufe deinen Gott an! Vielleicht hat er Gnade mit uns, daß wir nicht verderben.» Schließlich warfen die Seeleute untereinander das Los, um zu erfahren, wegen wem sie das Unglück heimsuchte. Und das Los traf Jona. Die Seeleute sprachen zu ihm: «Was ist dein Gewerbe? Woher kommst du? Wo bist du daheim? Zu welchem Volke gehörst du?» Jona antwortete: «Ich bin ein Israelit und verehre den Herrn, den Gott des Himmels, der das Meer und das Trockene gemacht hat.» Nun fürchteten sich die Männer, denn sie wußten, daß er vor dem Herrn floh. Er hatte es ihnen gesagt. Sie waren ratlos und fragten Jona: «Was sollen wir mit dir tun, damit das Meer wieder ruhig wird?» Währenddessen nahm der Sturm immer mehr zu, wurde das Meer immer furchtbarer. Jona antwortete: «Nehmt mich und werft mich ins Meer, so wird es ruhig werden! Nur ich bin die Ursache eures Unglücks.» Noch einmal versuchten die Männer mit aller Kraft, das Schiff wieder an Land zu bringen, aber vergebens. Das Meer wurde immer stürmischer. Sie riefen zum Herrn: «Ach Herr, laß uns doch nicht umkommen, wenn wir diesen Mann ums Leben bringen!» Und sie ergriffen Jona und warfen ihn ins Meer. Das wurde sofort ruhig. Die Männer aber waren voll Furcht vor dem Herrn und brachten ihm ein Opfer. Der Herr gebot einem großen Fisch, Jona zu verschlingen. Und Jona war drei Tage und drei Nächte lang im Bauche des Fisches. Dort betete er in seiner Angst und Not zum Herrn, seinem Gott. Und der Herr gebot dem Fisch, und der Fisch spie Jona an das Land.

JONA IN NINIVE

Zum zweiten Mal schickte der Herr Jona nach Ninive. Dort sollte er predigen, was ihm der Herr sagte, und Jona gehorchte. Die riesige Stadt war drei Tagereisen groß. Ein Haus reihte sich an das andere, alle gebaut aus gebrannten Ziegeln. Dort also wohnte das mächtigste Volk der Welt. Alle Völker trat es unter seine Füße. Gewalt und Macht gingen von ihm aus. Eine Tagereise weit ging Jona in die Stadt, dann predigte er: «Ändert euren Sinn! Noch vierzig Tage, dann ist Ninive zerstört.» Die Menschen glaubten ihm, fasteten und legten Trauer an. Auch der König kleidete sich in ein Trauergewand und setzte sich in Asche. Er ordnete ein großes Fest an. Alle sollten zu Gott beten und von Frevel und bösem Wandel lassen. So flehten alle zum Herrn, um seinen Zorn zu besänftigen. Und als der Herr sah, daß sie sich bekehrten und daß sie bereuten, tat er ihnen nichts zuleide, und das Unheil zog an ihnen vorüber. Jona aber ergrimmte über den Herrn, war zornig darüber, daß er Ninive verschonte und Barmherzigkeit übte. Er wäre am liebsten gestorben.

So ging er zur Stadt hinaus und ließ sich östlich von ihr nieder. Er baute sich eine Hütte und setzte sich in ihren Schatten. So wollte er abwarten, was mit der Stadt geschehen würde. Der Herr ließ einen Rhizinus über Jona wachsen. Der wuchs schnell weit über Mannesgröße, und seine großen, gefingerten Blätter spendeten Jona Schatten. Er freute sich über die Pflanze. Aber am Morgen des nächsten Tages stach auf

Der Prophet Jona

Gebot des Herrn ein Wurm den Rhizinus, so daß er verdorrte. Es erhob sich ein schwüler Ostwind, als die Sonne aufging, und sie brannte auf Jonas Haupt, so daß er ermattete. Er sehnte sich nach dem Tode, und das Leben war ihm verleidet. Der Herr aber sprach: «Dich jammert des Rhizinus, um den du doch keine Mühe gehabt hast. In einer Nacht wuchs er und in einer Nacht verdarb er. Und mich sollte die große Stadt Ninive nicht jammern, in der über hundertzwanzigtausend Menschen leben, die zwischen rechts und links nicht unterscheiden können.»

DER UNTERGANG DES REICHES ISRAEL

Das Reich Israel, also das Nordreich, im Gegensatz zu Juda, dem Südreich, bestand nicht mehr lange. Von Norden her brach Salmanassar, der König der Assyrer, mit seinen unermeßlichen Heerscharen in das Land. Die waren im Kriegshandwerk geübt, sie kannten nichts anderes. Die Hauptstadt Samaria wurde drei Jahre lang belagert und dann erobert. Die meisten Bewohner des Landes wurden von den Assyrern gefangen und verschleppt. Sie kehrten nie wieder zurück. Das Land verödete. Der König der Assyrer siedelte heidnische Völker an, die sich mit den übriggebliebenen Israeliten vermischten. Die Menschen, die mehr im Norden wohnten, nannte man Galiläer, die mehr im Süden lebten, hießen Samariter. Die Bewohner des Reiches Juda nannten sich Juden. Sie verabscheuten alle, die nicht zu ihnen gehörten.

DIE WEISSAGUNGEN DES JESAJA

Der Jude Jesaja wurde vom Herrn zum Propheten berufen. Das ereignete sich so. Jesaja berichtete: «Ich sah den Herrn sitzen auf einem hohen und erhabenen Thron. Die Säume seines Gewandes erfüllten das Heiligtum. Seraphim standen um ihn her, ein jeder hatte sechs Flügel. Mit zweien verhüllten sie ihr Antlitz, mit zweien verhüllten sie ihre Füße und mit zweien flogen sie. Und es rief einer zu dem andern: ‹Heilig, heilig, heilig ist der Herr der Heerscharen, erfüllt ist die Erde von seiner Herrlichkeit.› Es erbebten die Pfosten in den Schwellen von dem lauten Rufen. Das Haus war erfüllt von Rauch. Da sprach ich: ‹Weh mir, ich bin verloren, denn unrein sind meine Lippen und unter einem Volk mit unreinen Lippen wohne ich. Doch nun schauen meine Augen den König, den Herrn der Heerscharen.› Da flog einer der Seraphim zu mir mit einer glühenden Kohle und berührte damit meine Lippen und sprach: ‹Siehe, deine Lippen hat die glühende Kohle berührt. Damit ist deine Schuld getilgt und deine Sünde gesühnt.› Dann hörte ich, wie der Herr sprach: ‹Wen soll ich senden und wer wird für uns hingehen?› Da antwortete ich: ‹Hier bin ich, Herr, sende mich!›»

So war die Berufung des Propheten Jesaja. Er weissagte dem Volk seine schwere Zukunft, seine kommende Not und Heimsuchung. Alles, was Jesaja verkündete, sollte auch eintreffen. Er weissagte aber auch das Erscheinen des Messias, des Erlösers der Welt:

«Siehe, die Jungfrau wird empfangen und einen Sohn gebären, und seinen Namen wird man Emanuel (das heißt: Gott mit uns) nennen.»

«Ein Reis wird hervorkommen aus der Wurzel Isais, und der Geist des Herrn wird auf ihm ruhen, der Geist der Weisheit und des Verstandes, des Rates und der Stärke, der Wissenschaft und der Frömmigkeit, und der Geist der Furcht des Herrn wird ihn erfüllen.»

Die Weissagungen des Jesaja

«Ein Kind ist uns geboren, ein Sohn ist uns geschenkt, auf dessen Schulter die Herrschaft ruht, und man nennt seinen Namen: wunderbarer Ratgeber, Gott, starker Held, Vater der Zukunft, Friedensfürst.»

«Gott selber kommt und erlöset euch. Dann öffnen sich der Blinden Augen, der Tauben Ohren tun sich auf, dann springt wie ein Hirsch der Lahme, und die Zunge des Stummen löset sich.»

«Meinen Leib gab ich den Schlagenden hin, und mein Angesicht verbarg ich nicht vor denen, die mich lästerten und anspien.»

«Er wird geopfert, weil er selbst es wollte; wie ein Lamm wird er zur Schlachtbank geführt und tut seinen Mund nicht auf.»

«Die Völker werden zu ihm beten und sein Grab wird herrlich sein.»

KÖNIG HISKIA

Auch in Juda wechselten die Herrscher, lösten einander ab. Alles Leben in Juda und der Völker in Kleinasien bis nach Ägypten lag unter der drohenden Macht von Assur. Einer der letzten Könige Judas vor seinem Untergang war Hiskia, ein Gerechter. Er tat, was dem Herrn wohlgefiel, so wie sein Ahnherr David. Er ließ alle Götzenbilder niederreißen. Während seiner Herrschaft eroberte König Salmanassar die Stadt Samaria und führte die Israeliten fort. Im vierzehnten Jahr von Hiskias Herrschaft bedrohten die Assyrer Juda, so daß der König alles Gold und alles Silber hergeben mußte, was er nur irgend fand. Die Schatzkammer seines Palastes leerte sich, und selbst von den Pfeilern des Tempels ließ er das Goldblech losmachen und schickte es nach Assyrien. Da gingen dem feindlichen König die Augen über, und er wollte noch mehr, wollte alles. Deshalb schickte er als Antwort seinen Feldherrn Thorthan mit einem gewaltigen Heer. König Hiskia verlor allen Mut und zerriß seine Kleider. Aber in Jerusalem lebte Jesaja, der Prophet. Er gab dem Könige Mut und weissagte, auch nicht ein einziger feindlicher Krieger würde in die Stadt hineingelangen. Und noch in derselben Nacht schritt der Engel des Herrn durch das Lager der Assyrer und schlug es mit der Pest. Hundertfünfundachtzigtausend Mann lagen in der Frühe tot auf dem Boden. Der König Sanherib schlug eiligst seine Zelte ab und kehrte heim nach Ninive. Als er im Tempel zu seinem Gotte betete, wurde er von seinen eigenen Söhnen mit dem Schwerte ermordet.

HISKIAS KRANKHEIT UND GENESUNG

Um diese Zeit wurde der König Hiskia todkrank. Der Prophet Jesaja tat ihm seinen nahen Tod kund. Da kehrte Hiskia sein Gesicht zur Wand und betete laut zum Herrn. Er weinte. Jesaja ging gerade über den Vorhof des Palastes, als er von dem Herrn die Weisung erhielt, zu seinem König zurückzukehren. Der Herr hatte die Tränen seines treuen Dieners gesehen und wollte ihn wieder gesund machen. Fünfzehn Jahre sollte er noch leben, und in dieser Zeit wollte der Herr Jerusalem beschirmen. So lag der König Hiskia drei Tage zu Tode krank darnieder. Danach legte ihm Jesaja ein Feigenpflaster auf sein Geschwür und er wurde wieder gesund. Hiskia hegte aber Zweifel, ob ihm Gott, der Herr, wirklich noch fünfzehn Jahre lassen würde. Aber Jesaja sprach: «Nimm dir dies als Zeichen! Soll der Schatten der Sonne über zehn Stunden vor oder zehn Stunden zurück gehen?» Da verlangte Hiskia den Rückgang des Schattens um zehn Stunden. Der Schatten der Sonnenuhr wanderte um zehn Stunden zurück.

Der König betete voller Innigkeit im Tempel zum Herrn und dankte ihm. In dieser Zeit schickte der König von Babel Boten zu Hiskia, die beglückwünschten ihn zu seiner Genesung. Hiskia freute sich hierüber und zeigte den Boten sein ganzes Schatzhaus, sein Gold und Silber, das feine Öl und alle Spezereien. Nichts blieb den Boten verborgen, alles durften sie sehen. Als sie wieder fort waren, fragte der Prophet Jesaja nach den Männern aus Babel. Hiskia antwortete ihm: «Alles, was in meinem Hause ist, haben sie gesehen, keine Schatzkammer blieb ihnen verborgen.» Jesaja erschrak und

Hiskias Krankheit und Genesung

verkündete dem König großes Unheil: «Alle deine Schätze wird man nach Babel forttragen, nichts wird übrigbleiben. Und deine Söhne werden Diener im Palaste des Königs von Babel sein.» Dies alles ereignete sich jedoch erst nach dem Tode Hiskias. Er lebte noch fünfzehn Jahre.

DIE TEMPELREINIGUNG

Schon die Söhne des Königs Hiskia verfielen wieder der Abgötterei. Überall im Lande errichtete man Altäre für die fremden Götter, reich ausgestattet mit Standbildern von Astarte und Baal. Überall auf den Sockeln standen Bildnisse von Stieren. Vor denen betete und opferte das Volk. Viele trieben Schlangenbeschwörung. Einer der Könige opferte sogar seinen erstgeborenen Sohn. So wurde Jerusalem, die Stadt Davids, entweiht. Auch der Tempel selbst wurde geschändet. Dort reihte sich ein Bildnis an das andere. So unterschieden sich die Juden nicht mehr von den Völkern ringsum, bis auf einige Gerechte. Endlich wurde einer König, der dem Herrn wohlgefiel. Er stammte wie alle Könige in Juda, ob gut oder schlecht, aus dem Hause Davids und hieß Josia. Er ließ als erstes das Standbild der Astarte aus dem Tempel holen, am Kidronbach verbrennen und die Asche in das Wasser streuen. Vor dem Tempel waren ein paar goldene Rösser aufgestellt, die einen Sonnenwagen zogen. Alles ließ er verbrennen und das Gold einschmelzen. Und alle Sonnensäulen wurden zertrümmert. Die falschen Priester wurden aus ihrem Amt vertrieben.

So wurde alles gereinigt, wie man mit einem Besen einen Raum auskehrt. Josia und die Seinen fanden im Tempel eine Schrift von hohem Alter. Die Gesetze des Gottes Jahve waren darin erläutert. Der König ließ das Volk von Jerusalem rufen. Es versammelte sich und hörte die Worte der uralten Schrift und erschrak über seine eigene Abtrünnigkeit. Es verschwur sich dem Willen zur Reinheit und zum Dienste am Herrn.

DER UNTERGANG DES REICHES JUDA

Dies alles geschah vor der Stunde des Untergangs. Das assyrische Reich war inzwischen durch seine gemeinsamen Feinde für immer zerschlagen. Ninive, die einst blühende und riesige Hauptstadt, wurde für immer zerstört und dem Erdboden gleichgemacht. Es war, als hätte es die Stadt nie gegeben. Der neue Herr hieß Babylon. Sein König Nebukadnezar belagerte und eroberte Jerusalem. Die Stadt wurde zerstört. Alle die Schätze des Tempels raubte er und führte sie mit sich fort, all das goldene Gerät, das Salomo hatte schmieden lassen, die siebenarmigen Leuchter und den Tisch für die Schaubrote. Alles nahm er mit sich fort. Nur die Bundeslade fand er nicht. Der Tempel selbst wurde in Brand gesteckt und zerstört. Dem letzten König von Juda wurden die Augen ausgestochen. In Ketten schleifte man ihn nach Babylon mit all den Seinen. Die ganze Stadt und das Land Juda wurden entvölkert. Zweimal wurde Juda so heimgesucht, beim zweiten Mal schlimmer als beim ersten Mal. Die Juden lebten als Gefangene in Babylon.

DER PROPHET JEREMIAS

Zur Zeit der Zerstörung lebte der Prophet Jeremias. Er trug alles Leid seines Volkes mit. Er war außer sich vor Kummer über die zerstörte Stadt und schrieb:

«Die Ältesten der Tochter Zion sitzen auf der Erde und sind still, sie werfen Staub auf ihre Häupter und haben den Sack angezogen. Die Jungfrauen von Jerusalem senken ihre Köpfe zur Erde. Ich habe mir fast die Augen ausgeweint, mein Leib tut mir

Der Prophet Jeremias

weh, mein Herz ist auf die Erde geschüttet über dem Jammer der Tochter meines Volkes, weil die Säuglinge und Unmündigen auf den Gassen der Stadt verschmachten. Zu ihren Müttern sprechen sie: ‹Wo ist Brot und Wein?›, da sie auf den Gassen der Stadt verschmachten, wie die tödlich Verwundeten in den Armen ihrer Mütter den Geist aufgeben. Ach, du Tochter Jerusalem, wem soll ich dich vergleichen, und wie soll ich dir zureden?» (Die Klagelieder des Jeremias 2,10–13)

«Schreie laut zum Herrn, klage, du Tochter Zions, laß Tag und Nacht Tränen herabfließen wie einen Bach; höre nicht auf damit, und dein Augapfel lasse nicht ab! Steh des Nachts auf und schreie zu Beginn jeder Nachtwache, schütte dein Herz aus vor dem Herrn wie Wasser! Hebe deine Hände zu ihm auf um des Lebens deiner jungen Kinder willen, die vor Hunger verschmachten an allen Straßenecken!» (Die Klagelieder des Jeremias 2,18–19)

«Bringe uns, Herr, zu dir zurück, daß wir wieder heimkommen; erneuere unsere Tage wie vor alters! Hast du uns denn ganz verworfen und bist du allzusehr über uns erzürnt?» (Die Klagelieder des Jeremias 5,21–22)

DIE BABYLONISCHE GEFANGENSCHAFT

So wurden die gefangenen Juden in das babylonische Reich fortgeführt. Bei der ersten Heimsuchung Judas hatten die Feinde nur die vornehmen Juden mitgenommen, bei der zweiten wurde auch das einfache Volk gefangen. So gelangten die Juden in eine ganz andere Welt. Ununterbrochen waren die Handwerker und Künstler in der riesigen Stadt Babylon zu Gange. Am Ufer des breiten Stromes Euphrat wurden die Ziegel aus Lehm geformt und gebrannt. Hierbei mußten viele Juden helfen, denn in der Stadt wurde immer gebaut. Ein Ring von zwei Mauern lief um sie herum, jede acht Meter dick. Da mußte mancher Jude helfen, die Glasur für die Ziegel mit anzulegen in Blau und Gelb, in allen Farben. Damit wurden überall außen die dicken Wände der würfelartigen Häuser geschmückt. Überall an den farbigen Wänden prangten die Bildnisse von Löwe und Stier. Auf «Himmelsbergen», Türmen mit breiten, üppig bepflanzten Terrassen, wurden den Göttern Opfer gebracht. Riesige Bildnisse waren dort errichtet, die Scharen von Priestern bei Zimbel- und Schellenklang anbeteten. Durch die Straßen der Stadt wälzte sich ein dichtes Völkergewimmel, gekleidet in

Stoffe mit grellen Farben. Und an den Armen und Händen blinkte Geschmeide von Gold und Silber mit seltenen Edelsteinen und birnenförmigen Perlen. Wohlgerüche verschiedenster Parfüms und der Geruch von Schweiß schwängerten die heiße Luft. Und über den breiten Strom Euphrat führte eine Brücke, immer begangen und befahren.

Das alles erlebten die Juden, diese nie gesehene Pracht Babylons mit seinen Göttern. Aber sie wandten sich in ihrem Innern ab. All den verführerischen Prunk stießen sie von sich. Sie selbst verehrten keine Bilder und hätten es gerade jetzt nie getan. Ihr Tempel in Jerusalem war zerstört. Und weil sie nun keinen Ort mehr hatten, wo sie dem Herrn opfern und zu ihm beten konnten, holten sie ihre heiligen Schriften hervor, lasen sie und versuchten, ihre Weisheit zu ergründen. Die Männer, die sich dem ganz widmeten, nannte man Schriftgelehrte. Diese predigten oft zu den anderen Juden. Hierfür baute man sich besondere Lehrgebäude, sogenannte Synagogen. Aber der Herr hatte Gnade mit seinem Volk und sandte ihm von Zeit zu Zeit einen Propheten.

KLAGELIED DER GEFANGENEN ZU BABEL (PSALM 137)

An den Wassern zu Babel saßen wir und weinten, wenn wir an Zion gedachten.

Unsere Harfen hingen wir an die Weiden, die darinnen sind. Denn daselbst hießen uns singen, die uns gefangen hielten, und in unserem Heulen fröhlich sein: «Singet uns ein Lied von Zion!»

Wie sollten wir des Herren Lied singen in fremdem Lande?

Vergesse ich dein, Jerusalem, so werde meiner Rechten vergessen! Meine Zunge soll an meinem Gaumen kleben, wo ich deiner nicht gedenke, wo ich nicht lasse Jerusalem meine höchste Freude sein.

DER PROPHET HESEKIEL

Der Priester Hesekiel aus Jerusalem wurde in die Nähe der Stadt Babylon verschleppt. Das war nahe bei dem Kanale Kebar. Dicht an dem Kanal öffnete sich Hesekiel der Himmel, und Gott zeigte ihm Gesichte. Dem Gesicht voran ging ein gewaltiges Brausen aus Norden. Der Sturm trieb eine große Wolke vor sich her von strahlendem Glanze und einem unaufhörlichen Feuer. Aus seinem Glanz in der Mitte bildeten sich geflügelte Gestalten. Deren Beine waren gerade, die Fußsohlen blinkendes Erz wie bei einem Kalbe. Jede der vier geflügelten Gestalten trug vier Gesichter. Nach vorn wie ein Menschengesicht, zur rechten Seite hin ein Löwengesicht und zur linken ein Stiergesicht und nach innen das Gesicht eines Adlers. Alle vier Wesen gingen gerade vor sich hin. Zwischen ihnen war es anzusehen wie glühende Kohlen. Aus dem Feuer fielen ununterbrochen Blitze. Und wie Blitze liefen auch die vier Wesen hin und wieder. Neben jedem war ein Rad mit Speichen voller Augen. Die Räder bewegten sich mit den Wesen und folgten ihnen nach. Bei alledem hörte Hesekiel das Rauschen ihrer Flügel wie das Rauschen eines großen Wasserfalles. Über den Häuptern der vier Wesen schimmerte eine feste Platte, wie aus Kristall. Und darüber leuchtete es blau wie ein Saphir. Auf dem stand ein Thron und darauf saß eine Gestalt, wie ein Mensch. Sie war umgeben von einem strahlenden Glanz.

Hesekiel fiel auf sein Angesicht und hörte die Stimme des Herrn. Der Herr schickte ihn aus zu den Kindern Israels. Er breitete vor Hesekiel eine Schriftrolle aus. Die war auf der Vorder- und Rückseite beschrieben mit Klage, Ach und Wehe. Und der Herr sprach: «Menschensohn, iß diese Rolle und gehe hin und rede zum Hause Israel!» Und Hesekiel aß die Schriftrolle, und sie wurde in seinem Munde zu süßem Honig. So wurde er von Gott, dem Herrn, zum Propheten und Wächter des Hauses Israel bestellt.

Der Prophet Hesekiel

Überall unter den Juden, die im babylonischen Reich verstreut lebten, weckte er die Hoffnung auf den Messias, den Sohn Gottes. Er würde das Volk Israel aus seinem Elend herausführen, alles was jetzt verstreut war, würde sich wieder finden.

DANIEL UND SEINE GEFÄHRTEN

Unter den Juden, die nach Babylon verschleppt wurden, waren auch vier Knaben ohne Makel und von schöner Gestalt, klarem Verstand und begabt für jegliche Wissenschaft. Die wollte der König als Pagen am Hofe haben. Sie sollten jedoch erst drei Jahre lang vom Kämmerer für ihr Amt vorbereitet und erzogen werden. Zu diesen vier judäischen Knaben gehörte Daniel, schon jetzt vom Herrn zum Propheten bestimmt. Die vier erhielten von der königlichen Tafel Speise und Wein, denn sie sollten kräftig und wohlgenährt sein. Aber sie wollten rein bleiben und baten deshalb den Kämmerer, ihnen nur Pflanzenkost und Wasser zu geben. Der Kämmerer lehnte erst ab, denn er bangte um seinen Kopf. Aber endlich ließ er sich umstimmen, und sie einigten sich, es zehn Tage mit Pflanzenkost und Gemüse zu versuchen. Und siehe, nach zehn Tagen sahen die vier besser aus als alle anderen Knaben, die von der königlichen Tafel ihr Essen erhielten. Von nun an stellte der Kämmerer die königliche Speise immer beiseite, und die vier Knaben brauchten nicht davon zu essen.

Sie lernten rasch die Schrift und jegliche Wissenschaft. Daniel verstand sich auf Gesichte und Träume aller Art. Der König prüfte die vier Knaben und fand sie allen Gelehrten und Ratgebern im Reich zehnfach überlegen. Und so blieben sie am königlichen Hof.

DANIEL RETTET SUSANNA

Ein Jude in Babylon war mit einer sehr schönen und gottesfürchtigen Frau verheiratet. Sie hieß Susanna. Ihre frommen Eltern hatten sie im Gesetz des Moses unterwiesen. Ihr Mann war reich und besaß einen prächtigen Garten hinter seinem Haus. Hier trafen sich stets die Juden und sprachen untereinander Recht. Zu dieser Zeit waren zwei boshafte und ungerechte Älteste als Richter eingesetzt. Nun ging Susanna täglich in dem Garten eine Weile spazieren. Hierdurch sahen die beiden Richter sie jeden Tag und entbrannten beide in heftiger Begierde. Sie verbargen jedoch ihr Verlangen. Ein jeder schämte sich. Zur Essenszeit verließen sie immer den Garten; jeder für sich drehte sich aber um und spähte durch die Hecke. Einmal stießen sie aber aufeinander und bekannten sich gegenseitig ihre Begierde.

Nun schmiedeten sie zusammen einen schändlichen Plan, die junge Frau in ihre Gewalt zu bringen. An einem günstigen Tag versteckten sie sich im Garten und legten sich auf die Lauer. Susanna kam in den Garten, um zu baden, denn es war sehr heiß. Sie schickte ihre beiden Mägde ins Haus, um Salben und Öle zu holen. Die Mägde gehorchten und schlossen hinter sich die Gartentür zu. Da rannten die beiden Ältesten rasch aus ihrem Versteck hervor. Susanna erschrak furchtbar. Die Bösewichte sprachen: «Siehe, der Garten ist zugeschlossen. Niemand sieht uns. Wir sind in Liebe zu dir entbrannt. Deshalb sei uns zu Willen. Bist du aber nicht willig, so beschuldigen wir dich, mit einem jungen Mann hätten wir dich allein gefunden.» Susanna seufzte und rief wehklagend: «Ach, in wie großer Bedrängnis bin ich. Aber ich will lieber unschuldig sterben.» Dann schrie sie laut um Hilfe.

Aber die Ältesten schrien gegen sie und der eine öffnete hastig die Gartentür sperrangelweit. Die Diener rannten wegen dem Geschrei herbei. Sie schwiegen beschämt, wie die beiden Ältesten gegen Susanna aussagten. Am anderen Tag saß man über

Daniel rettet Susanna

Susanna zu Gericht. Die beiden Ältesten sagten als Zeugen gegen sie aus. Sie waren gleichzeitig die Richter, da gab es kein Entrinnen. Susanna wurde zum Tode verurteilt. Sie weinte laut und hob die Augen zum Himmel und schrie in Verzweiflung laut zu Gott. Man führte sie zum Richtplatz, doch auf dem Wege dahin begegnete ihnen der junge Daniel. Der wurde beim Anblick der Unglücklichen vom Heiligen Geist erweckt und rief laut: «Was führt ihr eine Unschuldige zum Tode? Habt ihr das Urteil genügend bedacht? Haltet noch einmal Gericht! Denn diese ist zu Unrecht beschuldigt.» Da kehrten alle wieder um, denn alle achteten Daniel und gaben viel auf sein Wort.

Er schickte den einen Bösewicht beiseite, denn er wollte die beiden getrennt verhören. Dann sprach er zum ersten: «Du schamloser, ungerechter Richter! Jetzt treffen dich deine Sünden. Unter welchem Baum traft ihr Susanna mit dem Mann?» Da antwortete der erschrockene Bösewicht: «Unter einer Linde.» Daniel ließ ihn fortbringen und den anderen holen und sprach: «Du Elender! Hat dir die Begierde das Herz verkehrt? Unter welchem Baum traft ihr Susanna und den jungen Mann?» Der Bösewicht antwortete: «Unter einer Eiche.» So log einer wie der andere, denn sie widersprachen einander. Man verurteilte sie, und sie wurden hingerichtet.

NEBUKADNEZARS TRAUM

König Nebukadnezar hatte einen Traum, der ihn so erschreckte, daß er dadurch aufwachte. Er geriet in große Unruhe. Denn obwohl ihm der Traum entfallen war, glaubte er, daß er sehr wichtig war. Deshalb berief er alle Traumdeuter und Weisen zu sich. Sie sollten ihm seinen Traum kundtun und deuten. Wenn es nicht gelänge, so sollten sie in Stücke zerhauen werden. Die Weisen schwiegen betreten und bangten um ihr Leben. Wie sollten sie wissen, was der König geträumt hatte? Sie suchten alle möglichen Ausflüchte. Was der König verlangte, war ja unmöglich. Aber Nebukadnezar geriet in furchtbaren Zorn und befahl, alle Weisen Babylons umzubringen. Die Knechte wollten auch Daniel und seine Gefährten töten. Daniel aber gebot ihnen Einhalt, trat vor den König und bat um die Frist von einer Nacht. Danach wollte er den Traum kundtun und auch seine Deutung. Die Frist wurde ihm gewährt und der Vollstreckungsbefehl für diese Nacht auch für alle anderen ausgesetzt. Daniel und seine Gefährten beteten zum Herrn. Und Gott enthüllte Daniel das Geheimnis des Traumes.

Daniel ließ sich in der Frühe eilends vor den König führen und sprach: «König, du träumtest, was künftig geschehen wird. Du schautest ein Standbild von großem Glanz. Sein Haupt war von Gold, Brust und Arme von Silber, Bauch und Lenden von Erz, die Schenkel von Eisen, die Füße aber zu einer Hälfte von Eisen, zur andern von Ton. Ein Stein löste sich vom Berge los, ohne menschliches Zutun, schlug auf die eisernen und tönernen Füße und zermalmte sie. Davon zerstob das ganze Bildnis wie Spreu im Wind. Keine Spur fand sich mehr von ihm. Der Stein aber wurde ein großer Berg und er erfüllte die ganze Erde. Das, König, war dein Traum. Nun höre seine Deutung! Du, o König der Könige, bist das goldene Haupt. Nach dir kommt ein Reich, geringer als das deine. Dann kommt ein drittes, ein ehernes Reich, und wird über die ganze Erde herrschen. Die Füße, halb Ton halb Eisen, bedeuten, daß das Reich geteilt wird. Aber am Schluß entsteht durch den Stein ein ewiges Reich, von Gott im Himmel gewollt. Dies ist die Deutung des wahren Traumes.» Der König Nebukadnezar fiel nieder auf sein Angesicht und rief: «Es ist wahr, euer Gott thront über allen andern Göttern.» Und der König erhöhte Daniel und gab ihm kostbare Geschenke.

DIE DREI MÄNNER IM FEUEROFEN

Der König Nebukadnezar ließ ein riesiges goldenes Standbild aufrichten. Es wurde eingeweiht. Dazu mußten alle hohen Beamten des Königs zugegen sein. Beim Klang der Hörner und Harfen, Pfeifen und Zithern warfen sie sich zu Boden und beteten es an. So hatte es Nebukadnezar befohlen. Aber die drei Gefährten Daniels beteten das Bildnis nicht an, obwohl sie zu den Vornehmen des Landes gehörten. Auch einem ausdrücklichen Befehl des Königs folgten sie nicht. Da ließ der König den Feuerofen einheizen, siebenmal stärker als sonst. Dann wurden die drei Männer mit Stricken gebunden und in den Feuerofen geworfen. Es war so heiß, daß die Knechte, die die drei Männer trugen, verbrannten. Nebukadnezar schaute in das Feuer und entsetzte sich, denn dort gingen vier Männer, statt der drei, frei und ungehindert umher. Er trat an den Ofen und rief die drei Männer heraus. Die drei Gefährten Daniels traten völlig unversehrt aus dem Ofen. Kein Haar war ihnen versengt, keine Wimper. Nur ihre Fesseln waren verbrannt. Nebukadnezar pries ihren Herrn und setzte sie wieder in ihre Würden ein.

Die drei Männer im Feuerofen

DAS GASTMAHL BELSAZZARS

Der König Belsazzar veranstaltete ein üppiges Fest. Unzählige Öllämpchen brannten, und die Gäste sprachen dem Weine zu, der überall in Strömen aus den Krügen floß. Als das Fest immer rauschender wurde, ließ der König die goldenen und silbernen Gefäße holen, die sein Vater Nebukadnezar aus dem Tempel von Jerusalem geraubt hatte. Die Gäste vergaßen alle Scham und tranken aus den heiligen Gefäßen, priesen dabei ihre eigenen Götter. Zur selben Stunde erschienen die Finger einer Menschenhand und schrieben an die weiß getünchte Wand die Worte: «Mene, mene, tekel upharsin.» Der König wurde bleich, seine Knie schlugen aneinander, und er schlotterte am ganzen Leib. Es herrschte Totenstille. Schließlich schrie der König stotternd nach den Sterndeutern und Weisen. Aber keiner vermochte die Schrift zu lesen, so hoch die Belohnung auch war. Schließlich trat die Königinmutter in den Saal und riet, Daniel zu rufen. Der kam; alle Belohnung lehnte er ab. Er las die Schrift und sprach zum König: «Mene, das heißt: Gott hat dein Königtum gezählt und beendet. Tekel, das heißt: Man hat dich auf der Waage gewogen und für zu leicht befunden. Peres, das heißt: Dein Reich ist zerteilt und den Persern und Medern gegeben.» Nun befahl der König, Daniel in Purpur zu kleiden und reich zu belohnen. Belsazzar wurde aber noch in derselben Nacht von seinen Knechten umgebracht.

DANIEL IN DER LÖWENGRUBE

Darius von Medien wurde König. Über alle seine Statthalter setzte er drei Fürsten. Einer von diesen war Daniel. Er übertraf jeden durch seinen alles überragenden Geist. Seiner Stellung wegen wurde er von den Vornehmen des Reiches beneidet. Sie konnten jedoch kein Fehl an seinem Tun entdecken, und so fanden sie auch keinen Grund zur Anklage, sie mochten noch so viel Ränke schmieden. Schließlich stellten sie ihm doch eine Falle. Sie rieten dem König: «König Darius lebe ewig! Die Vornehmen des Reiches denken, es wäre gut, ein strenges Gesetz zu erlassen, daß dreißig Tag lang alle Menschen nicht zu ihrem Gott beten sollen, sondern allein zu dir. Und wer diesem Gesetz zuwiderhandelt, soll in die Grube zu den Löwen geworfen werden.» Diesen Vorschlag hieß der König gut. Er wurde als Gesetz festgelegt. Jedes Gesetz war bei den Medern und Persern unwiderruflich. Daniel kümmerte sich nicht um das Gebot, sondern betete zum Herrn, wie er es immer tat. Er hatte dabei das Fenster in seinem Hause geöffnet. Da eilten seine heimtückischen Feinde schnell herzu, traten unverhofft in sein Zimmer und fanden den betenden Daniel. Sie verklagten ihn bei dem König und verlangten seine Bestrafung, so wie das Gesetz es befahl. Dadurch waren dem König die Hände gebunden und er war machtlos.

Daniel wurde in die Grube zu den Löwen geworfen, und ein Stein wurde vor den Eingang gewälzt. Der König versiegelte den Eingang mit seinem Ring, damit Daniel nichts geschähe. Dann kehrte er zurück in seinen Palast, fastete die ganze Nacht und vermochte nicht zu schlafen. In der Frühe lief er eilends zur Löwengrube und rief mit angstvoller Stimme nach Daniel. Der war unversehrt. Der Engel des Herrn hatte ihn behütet. Der König atmete erleichtert auf, freute sich und ließ Daniel sogleich aus der Grube ziehen. Daniel war völlig unverletzt, denn er hatte auf den Herrn vertraut. Der König ließ die Männer holen, die Daniel verklagt hatten. Sie wurden in die Grube

Daniel in der Löwengrube

geworfen zusammen mit ihren Frauen und Kindern. Die Löwen stürzten über sie her und zermalmten alle ihre Knochen. Darius befahl, alle sollten Daniels Gott fürchten und scheuen.

VOM BEL ZU BABEL

Unter dem König Cyrus wuchs das Ansehen Daniels noch mehr. Nun gab es in Babel den Götzen Bel. Ihm mußten täglich geopfert werden: zwölf Sack Weizenmehl, vierzig Schafe und sechs Eimer Wein. Selbst der König diente dem Götzen und betete ihn an. Daniel jedoch blieb dem Herrn treu. Darüber verwunderte sich der König und sagte zu ihm: «Hältst du den Bel denn nicht für einen lebendigen Gott? Sieh nur, wieviel er täglich ißt und trinkt!» Aber Daniel lachte nur. Das erboste den König, und er rief die Priester zu sich und sprach: «Sagtet ihr mir nicht, wer das Opfer verzehrt, der müßte sterben? Verzehrt Bel das Opfer, so muß Daniel sterben.» Nun stellten die Priester im Beisein des Königs dem Bel seine Speisen hin. Dann verließen sie den Saal. Daniel und der König blieben allein zurück. Daniel streute überall auf den Boden feine Asche. Zum Schluß versiegelten sie die Türe des Tempels.

In der Frühe des nächsten Tages gingen sie wieder hin. Das Siegel war unversehrt. Im Saal aber waren alle Speisen verschwunden. Der König staunte und betete zu Baal. Aber Daniel lachte wieder und zeigte nur auf den Boden. Durch die Asche sichtbar gemacht, sah der König unzählige Fußspuren von Männern, Frauen und Kindern. Der zornige König ließ die Priester alle ergreifen, und sie mußten ihm die geheimen Gänge unter dem Bildnis zeigen, durch die sie sich die Speisen jeden Tag holten. Der König ließ sie mit ihren Familien töten und gab den Bel in Daniels Gewalt. Der ließ das Bildnis zerstören.

VOM DRACHEN ZU BABEL

Die Babylonier beteten auch einen riesigen Drachen an. Der aß und trank so riesige Mengen wie das Bildnis zu Bel. Alle, auch der König, glaubten an den Götzen, nur Daniel nicht. König Cyrus erlaubte Daniel, den Götzen umzubringen, allerdings ohne Schwert und Spieß. Daniel verkochte Pech, Fett und Haare miteinander. Daraus formte er einen Fladen. Den warf er dem Drachen ins Maul. Der Götze barst davon in der Mitte entzwei. Nun haßten die Babylonier Daniel, zettelten einen Aufruhr gegen den König an und riefen: «Unser König ist selbst ein Jude geworden.» Und vom König forderten sie: «Gib uns den Daniel heraus, sonst bringen wir dich und dein ganzes Haus um!» Da mußte ihnen der König Daniel herausgeben. Und sie warfen ihn zu den Löwen in den Graben. Hier verblieb Daniel sechs Tage. Im Graben hausten sieben Löwen. Die hatte man längere Zeit hungern lassen. Auch während dieser sechs Tage gab man ihnen nichts zu fressen, nur den Daniel. Aber sie fraßen ihn nicht.

In diesen Tagen trug im Lande Judäa der Prophet Habakuk eine tiefe Schüssel mit Brei und eingebrocktem Brot für die Schnitter auf das Feld. Zu dem sandte der Herr seinen Engel. Der ergriff den Propheten am Haarschopf und trug ihn im Windesbrausen nach Babel. Habakuk rief Daniel und gab ihm den Brei. Und Daniel wurde satt. Der Engel aber brachte Habakuk sogleich wieder an seinen Ort. Der König kam am siebten Tag zum Graben, um über Daniel zu klagen. Aber als er in den Graben hinab sah, saß Daniel dort mitten zwischen den Löwen. Der König ließ ihn sofort aus dem Graben ziehen. Die Feinde wurden statt seiner hineingeworfen und sofort von den Löwen zerrissen.

Vom Drachen zu Babel

DANIELS GESICHT VON DEN VIER TIEREN UND DEM MENSCHENSOHN

Daniel war ein Prophet. Er hatte Gesichte, die er aufschrieb. Und er verbürgte sich mit seinem Namen für das Geschaute. Ein Gesicht wurde ihm zuteil in der Nacht. Aus dem Meer, aufgewühlt von den vier Winden des Nachthimmels, stiegen herauf die Tiere des Abgrunds. Das erste glich einem Löwen und hatte Adlerflügel. Die wurden ihm ausgerissen, und es stand auf zwei Füße gestellt wie ein Mensch. Menschenverstand war ihm gegeben. Das zweite Tier stieg auf und glich einem Bären, aufgerichtet auf einer Seite mit drei Rippen zwischen den Zähnen. Es sollte viel Fleisch fressen. Nun erschien aus Meer und Nacht ein drittes Tier, das glich einem Panther und besaß vier Vogelflügel und vier Köpfe. Er besaß Macht. Dann erschien, furchtbar und Grauen erregend, dabei überaus stark, ein viertes Tier. Mit seinen eisernen Zähnen fraß und zermalmte es alles und zerstampfte den Rest mit den Füßen. Es war anders wie die andern und besaß zehn Hörner. Zwischen denen wuchs ein kleines Horn, das riß drei der andern aus. Es hatte Augen wie Menschenaugen und redete großmäulig daher.

Und Daniel schaute: Throne wurden aufgestellt, und der Alte der Tage setzte sich auf einen. Sein Gewand war weiß wie Schnee und das Haar seines Hauptes rein wie Wolle. Sein Thron war eine lodernde Flamme und die Räder daran brennendes Feuer. Ein Feuerstrom ergoß sich von ihnen. Tausende dienten dem Alten der Tage und Zehntausende. Und es wurde Gericht gehalten, und die Bücher wurden aufgeschlagen. Und das Tier mit dem Horn wurde getötet und dem Feuerstrom übergeben. Und den anderen Tieren wurde all ihre Macht genommen. Und Daniel schaute in dem Nachtgesicht, wie einer mit den Wolken des Himmels kam. Der glich dem Menschensohn. Alle Macht und Ehre und das Reich wurden ihm von dem Alten der Tage verliehen, und das bis in alle Ewigkeit.

DIE RÜCKKEHR AUS DER BABYLONISCHEN GEFANGENSCHAFT

Siebzig Jahre verblieb das jüdische Volk in der babylonischen Gefangenschaft. Dann bestieg der Perser Cyrus den Thron. Seine Macht überstieg die aller seiner Vorgänger. Dabei war er weise. Er erlaubte allen verschleppten Völkern, wieder in ihre Heimat zurückzukehren. Dies betraf auch die Juden. Der große König gab ihnen den Auftrag, Jerusalem mit dem Tempel wieder aufzubauen. Nebukadnezar hatte seinerzeit das Tempelgerät der Juden nach Babylon schaffen lassen und in einem Tempel aufbewahrt. Der neue König gab es den Juden wieder. So kehrten die meisten in ihre Heimat zurück. Der Fürst Serubbabel aus dem Hause Davids führte sie an. Später, in seiner Heimat, lebte er als ein einfacher Ackersmann, der auf einem Esel ritt. Ein Jahr nach der Rückkehr wurde in Jerusalem der Grundstein für den neuen Tempel gelegt. Alle priesen und lobten den Herrn. Zum Lobgesang wurden die Zimbeln geschlagen. Viele erhoben ein lautes Freudengeschrei. Die wenigen aber, die noch den alten Tempel gesehen hatten, brachen in Tränen aus. Der Bau des Tempels dauerte mehrere Jahre. Viele Opfer wurden bei seiner Einweihung gebracht. Juda blieb ein Teil des persischen Reiches. Allerdings lebten trotzdem noch viele Juden über das ganze persische Reich verstreut.

ESTHER

König Ahasveros herrschte über hundertsiebenundzwanzig Provinzen vom Indus bis Äthiopien. Seine Gemahlin, die Königin, hieß Esther und war eine Jüdin. Das wußte aber niemand, denn sie hielt es geheim. Sie folgte damit dem Rate ihres Pflegevaters Mardochai, der die Ehe mit dem heidnischen König als Vorsehung Gottes ansah. Ihre Eltern waren schon lange gestorben. Esther war außergewöhnlich schön und klug, dabei von gewinnendem Wesen. Deshalb hatte sie der mächtige Herrscher zur Frau genommen und zur Königin erhoben. Nun verweilte Mardochai jeden Tag vor dem Königstor und erkundigte sich nach Esthers Wohlergehen. Einmal hörte er, wie die zwei Kämmerer des Königs sich miteinander berieten, um ihren Herrn zu ermorden. Diese Entdeckung ließ er Esther wissen, und diese verriet sie dem König. Die Sache wurde sofort nachgeprüft und aufgedeckt. Sie entsprach der Wahrheit. Die beiden Kämmerer wurden an einem Pfahl aufgehängt, und die Begebenheit wurde in der Chronik der Könige aufgeschrieben. Nicht lange danach erhob der König einen gewissen Hamann zum Kanzler über sein Reich. Nun mußten alle königlichen Beamten vor Hamann ihr Knie beugen und vor ihm niederfallen wie vor einem Gott. Nur Mardochai beugte sich nicht, mochten die Diener ihn noch so oft dazu ermahnen. Schließlich meldeten sie es Hamann, sagten dazu, daß er sich nicht beuge, weil er Jude sei. Als Hamann nun sah, daß dem so war, ergrimmte er. Er wollte jedoch nicht nur Mardochai vernichten, das war ihm zuwenig, sondern das ganze jüdische Volk. Es gelang ihm, den König zu dieser Bluttat zu überreden. Dem winkte dabei ein hoher Gewinn für seine Schatzkammern, denn Hamann wollte die Vernichtung der Juden mit zehntausend Talenten Silber aufwiegen. Er erhielt den königlichen Siegelring. Ein bestimmter Tag wurde festgesetzt, an dem sollten alle Juden im Reich ermordet werden, Männer, Frauen und Kinder.

Esther

Hamann sandte überall in die Provinzen Eilboten mit den nötigen Befehlen. Alle sollten sich für die Vernichtung vorbereiten. Bei den Juden rief dieser Erlaß eine große Bestürzung hervor. In der Hauptstadt Susa wurde das Gesetz veröffentlicht. Der König aber setzte sich mit Hamann zu einem Gelage nieder. Als Mardochai von dem drohenden Schicksal erfuhr, zerriß er seine Kleider und hüllte sich in Sack und Asche. Laut klagend ging er mitten durch die Stadt bis zum Königstor. Überall im ganzen Reich weinten und fasteten die Juden. Esther hörte durch ihren Pflegevater von dem drohenden, furchtbaren Geschick. Er bat sie, bei ihrem Mann, dem König, Gnade für ihr Volk zu erflehen. Esther zögerte, denn sie durfte nicht einfach vor den König treten. Darauf stand die Todesstrafe. Aber die Zeit drängte, sie durfte nicht länger warten. Sie bat die Juden, für sie zu beten und zu fasten. Dann schmückte sie sich auf das schönste und betrat mutig den Thronsaal. Aber sie fand Gnade bei dem König, und er fragte sie nach ihrem Begehren. Sie lud ihn zusammen mit Hamann für den nächsten Tag zu einem Essen ein. Mit der Einladung prahlte Hamann vor allen seinen Verwandten. Auch ließ er schon einen fünfzig Ellen hohen Galgen errichten, an dem sollte Mardochai aufgehängt werden, denn er war schon wieder auf seinem Stein sitzengeblieben. In der Nacht aber floh den König der Schlaf. Da ließ er sich aus der Chronik der Könige vorlesen. An einer Stelle wurde der Anschlag der beiden Kämmerer beschrieben und wie Mardochai dem König das Leben gerettet hatte. Ahasveros fragte: «Wie ist Mardochai belohnt worden?» Die Höflinge antworteten: «Er hat nichts erhalten.»

Nun brach bereits der Tag an, und Hamann schritt über den Hof. Er wollte den König darum bitten, Mardochai noch am heutigen Tag aufhängen zu dürfen. Der König hörte seine Schritte, ließ ihn zu sich hereinrufen und fragte ihn: «Wie soll der König einen Mann ehren, der es verdient hat?» Hamann konnte sich vor Glück kaum fassen, denn er dachte, er selbst wäre gemeint, und so antwortete er: «Einem solchen Mann gebe man ein Kleid, ein Pferd und Schmuck des Königs. Dann darf er in diesem Aufzug durch die Stadt reiten, und ein Herold tut allen seine Ehre kund.» Kaum hatte Hamann geendet, sprach der König: «Vor dem Tore sitzt der Jude Mardochai, dem soll diese Ehre zuteil werden. Geh zu ihm und führe alles so aus, wie du es selbst gesagt hast!» Dem mußte Hamann gehorchen. Er kehrte traurig nach Hause zurück und verhüllte sein Angesicht. Seine Frau begann, um sein Leben zu bangen.

Am gleichen Tag gab Königin Esther ihr Gastmahl. Der König sprach zu ihr: «Was ist deine Bitte? Bis zur Hälfte meines Königreiches sei dir alles gewährt.» Die Königin antwortete: «Mein König, so schenke mir mein Leben, denn ich und mein ganzes Volk sollen getötet werden.» Der König fragte: «Wer will so etwas tun?» Esther antwortete: «Ein Feind und Widersacher, der Bösewicht Hamann.» Hamann aber erschrak zu Tode, und seine Glieder schlotterten. Der König stand grimmig auf und ging in seinen Weingarten. Hamann warf sich verzweifelt vor Esther nieder und flehte um sein Leben. Der König betrat wieder den Saal, sah ihn so liegen und rief: «Soll sogar in meinem Haus der Königin Gewalt angetan werden?» Kaum hatte er dies gesagt, verhüllten die Diener auch schon Hamanns Angesicht und schleiften ihn fort. Der König ließ ihn an dem Pfahl aufhängen, der ursprünglich für Mardochai bestimmt war. Der aber nahm beim König die Stelle Hamanns ein. Ein neuer Befehl wurde erlassen. Die Juden waren gerettet und jauchzten und frohlockten.

AUS DEN APOKRYPHEN

JUDITH

Holofernes, ein mächtiger Feldherr, zog auf Befehl seines Herrn nach Juda, um es ihm untertan zu machen. Den König von Assyrien sollten die Juden als einzigen Gott anbeten. Überall verbreitete Holofernes Schrecken, und die meisten Völker unterwarfen sich ihm kampflos, nur um das Leben zu retten. Seine Krieger starrten von Eisen, und ihre Kampfwagen rollten mit mächtigem Getöse. Die Juden aber entschlossen sich zum Widerstand. Sie schrien um Hilfe zum Herrn und taten Buße. Holofernes aber rückte unaufhaltsam voran, zornentbrannt, daß ihm das kleine Volk nicht sogleich gehorchte. Sein riesiges Heer blieb vor der Stadt Bethulia stehen. Die Bewohner der durch Mauern und Felsen gut geschützten Stadt wollten sich nicht ergeben. Aber ihre sichere Lage half ihnen nichts, denn die Wasserquellen lagen außerhalb der Stadt. Durch Verrat wurden sie dem Holofernes entdeckt, und er ließ sie sogleich besetzen. Nun blieb den Bewohnern nur die Wahl, entweder zu verdursten oder sich zu ergeben. Schließlich war kein Tropfen Wasser mehr aufzutreiben. Da beschlossen die Ältesten, sich zu ergeben.

In der Stadt lebte eine Witwe. Sie hieß Judith und war von ausnehmend schöner Gestalt. Sie war ehrbar, kein Makel war an ihr, und sie diente dem Herrn in Rechtschaffenheit und Treue. Sie litt ebenfalls unter der furchtbaren Not ihres Volkes und bat die Ältesten, noch fünf Tage mit der Übergabe der Stadt zu warten. Darauf gingen die Ältesten ein. Nun schmückte sich Judith auf das prächtigste und schönste und verließ am frühen Morgen mit ihrer Magd die Stadt. Man ließ sie ungefragt durch das Tor. Sie ging zum Lager der Assyrer und verlangte von der Wache, zum Feldherrn Holofernes geführt zu werden.

Holofernes verwunderte sich über ihre Schönheit und fragte nach ihrem Begehren. Judith schmeichelte zunächst seiner Macht und Stärke, rief ihn als zukünftigen, gottgewollten Herrscher über Israel und Jerusalem an, als Hirten über eine verlorene Herde von Schafen. Judiths Reden gefielen Holofernes und seinen Knechten über die Maßen wohl. Alle erstaunten über ihre Schönheit und Klugheit. Holofernes erlaubte ihr, im Lager aus- und einzugehen, wie sie es wollte, ob bei Tag oder bei Nacht. Er zeigte ihr sogar seine Schätze, die unermeßliche Beute der vielen Kriegszüge.

Aber am vierten Tage veranstaltete Holofernes ein Festmahl und ließ Judith zu sich holen. Wie eine Braut wollte er sie in der Nacht in sein Zelt führen. Judith fügte sich, tat willig, und es wurde ein ausgelassenes Fest. Holofernes hatte noch nie in seinem Leben so viel schweren Wein getrunken wie an diesem Abend. Schließlich verlor sich das Gefolge in die Zelte, und Holofernes wankte mit Judith in das seine. Dort sank er sofort auf sein Lager und schlief ein, sinnlos betrunken. Judith trat vor sein Bett und rief den Herrn um Hilfe an. Dann ergriff sie das Schwert des Holofernes, das an einem Pfosten des Bettes hing, stieß es ihm zweimal mit ganzer Kraft in den Hals und schnitt ihm dann den Kopf ab. Sie griff das Haupt an den Haaren, rief ihre Magd, und sie steckten es in einen Sack. Dann verließen sie beide das Lager, so wie sie es in den drei Nächten vorher immer getan hatten. Niemand hielt sie auf. Sie durften sich ja frei bewegen. Sie bogen ab in das Tal und standen bald vor dem Stadttor.

Am nächsten Morgen steckten die Juden das Haupt des Holofernes auf einen Speer auf der Stadtmauer. Dann wagten sie einen Ausfall. Als die assyrischen Kriegsleute ihren Feldherrn wecken wollten, fanden sie seinen Leichnam. Es entstand eine furchtbare Wirrnis im Lager, die sich die Juden zunutze machten. Sie überfielen den mächtigen, aber hilflosen Gegner und schlugen ihn in die Flucht. Sie machten reiche Beute. Judith blieb hochgeehrt ihr Leben lang.

TOBIAS

Als das Reich Israel zerschlagen und seine Bewohner in das riesige Assyrerreich hinweggeführt waren, da lebte ein Mann mit Namen Tobias. Der war auch mit seiner Familie in die Fremde fortgeführt worden. Er fiel jedoch um kein Haarbreit von Gottes Wort ab. Alles, was er besaß, teilte er Tag für Tag mit seinen gefangenen Brüdern und Verwandten. Er speiste die Hungrigen und kleidete die Nackten. Vor allem begrub er heimlich bei Nacht die Leichen der erschlagenen Israeliten. Das war bei

Tobias

Todesstrafe untersagt. Aber einmal wurde er dabei ertappt. Der König nahm ihm all sein Hab und Gut fort und befahl, ihn zu töten. Tobias gelang es noch rechtzeitig, mit seinem Sohn und seiner Frau zu fliehen. Sie waren nun arm, konnten sich aber verbergen, weil sie viele Freunde hatten, die ihnen halfen. Nach einem Monat wurde der König von seinen eigenen Söhnen ermordet, und Tobias konnte wieder unbehelligt nach Hause zurückkehren.

Er begrub aber weiterhin heimlich die Toten, obwohl seine Freunde ihn schalten. Er ließ sich nicht von seinem gottesfürchtigen Werk abbringen. An einem Tage hatte er wieder einen Toten begraben und legte sich deshalb müde im Schutze einer Mauer hin und schlief ein. Da ließ, als er gerade wieder erwachte, eine Schwalbe ihren heißen Dreck auf seine Augen fallen, so daß er erblindete. Er verbitterte sich deshalb jedoch nicht gegen den Herrn, sondern blieb fromm und gut wie einst Hiob, sah alles für eine Prüfung an. Die Verwandten aber verhöhnten und verspotteten ihn. Seine Frau Hanna webte Tag für Tag und ernährte so die Familie durch die Arbeit ihrer Hände, so gut sie es konnte. Einmal brachte sie ein Ziegenböcklein mit heim. Sie hatte es als Lohn erhalten. Der blinde Tobias wurde sofort mißtrauisch, als er das Böcklein blöken hörte. Er meinte, der Besitzer habe es gestohlen und dann verschenkt. Hierüber erzürnte seine Frau, zankte mit ihm und warf ihm ihr Elend vor. Tobias aber jammerte über sein und über seines Volkes Schicksal und betete zu Gott. Er wäre am liebsten gestorben und meinte, sein Ende sei nah. Aus diesem Grund rief er seinen Sohn Tobias zu sich, ermahnte ihn und sprach: «Hilf immer mit deinem Hab und Gut den Armen, ganz gleich wieviel du selbst besitzest! Alles mußt du von Herzen tun. Dann wird deine Seele der Finsternis nicht verfallen. Nun zieh in die Stadt Rages im Lande Medien! Dort wohnt ein Schuldner von mir. Dem habe ich zehn Talente Silber geliehen. Hier ist der Schuldschein. Hole von dem Manne das Geld! Suche dir aber erst einen zuverlässigen Reisegefährten! Wir wollen ihm auch Geld geben.»

Zur selben Stunde, in der Vater und Sohn miteinander sprachen, betete Sara, die Tochter Raguels in der Stadt Rages, im Lande Medien, zu Gott, dem Herrn. Sie war in großer Herzensnot. Sieben Männer hatte sie bisher gehabt, und alle hatten den Tod gefunden, als sie in der Hochzeitsnacht zu Sara in die Kammer gehen wollten. Der Herr erhörte sowohl das Gebet des alten Tobias wie das der jungen Sara. Er beschloß, beiden zu helfen. Als Helfer sandte er den Erzengel Raffael.

Der junge Tobias ging auf die Straße hinaus und fand einen jungen, kräftigen Gesellen, der war reisefertig. Er wußte nicht, daß es ein Engel Gottes war, grüßte ihn und sprach: «Von wannen bist du, guter Gesell?» Der Bursche antwortete: «Ich gehöre zu den Kindern Israels.» Fragte Tobias wieder: «Kennst du den Weg nach Medien?» Antwortete der andere: «Ich kenne ihn gut. Unser Bruder Gabael wohnt in der Stadt Rages in Medien. Bei ihm habe ich oft Herberge genommen.» Freudig erwiderte Tobias: «Warte einen Augenblick auf mich! Das will ich meinem Vater sagen.» Und er eilte nach Hause und erzählte von der glücklichen Begegnung. Der alte Mann verwunderte sich sehr, und der junge Gesell mußte sogleich hereinkommen.

Kurz darauf nahm der junge Tobias von seinen Eltern Abschied. Die beiden Reisegefährten wanderten los. Auf dem ganzen Weg lief des Tobias kleines Hündchen nebenher. Sie gelangten zu dem breiten Flusse Tigris. In dem kühlen Wasser wollte Tobias seine Füße waschen. Plötzlich schoß ein großer Fisch hervor und wollte ihn verschlingen. Er erschrak und schrie mit lauter Stimme nach dem Herrn. Sein Gefährte, der Engel, sprach: «Pack den Fisch am Kiemen und zieh ihn heraus!» Tobias zog den Fisch ans Land. Er zappelte zu seinen Füßen. Der Engel sagte: «Nimm den Fisch aus und behalte das Herz, die Galle und die Leber, denn sie sind eine gute Arzenei!» Dem folgte Tobias. Dann briet er etwas als Wegzehrung und salzte den Rest ein.

Schließlich erreichten sie die Stadt Rages. Dort kehrten sie bei Raguel ein. Der war ein Verwandter von Tobias' Stamm. Dort war auch dessen Tochter Sara, die der Herr für Tobias ausersehen hatte. Der Engel sprach zu dem jungen Tobias: «Wirb um die Tochter unseres Gastgebers, er hat sonst kein Kind und wird sie dir zur Frau geben! All sein Hab und Gut wird dir später zufallen.» Aber Tobias scheute sich, weil er schon von Sara gehört hatte. Er sagte zu seinem Gefährten: «Ich bin der einzige Sohn meiner Eltern. Sie werden vor Leid sterben, wenn ich nicht zurückkehre.» Aber der Engel erwiderte: «Drei Nächte darfst du sie nicht berühren und mußt mit ihr zum Herrn beten. Lege die Leber des Fisches auf glühende Kohlen! Das vertreibt den bösen Geist.» Alles kam so, wie es der Engel gesagt hatte. Und es wurde alles gut. Sara wurde des Tobias Frau. Unterdessen löste sein Reisegefährte den Schuldschein ein. Saras Vater drang in Tobias, noch länger zu bleiben. Aber der machte sich Gedanken wegen seiner Eltern. Es war schon mehr Zeit verstrichen als vorgesehen. Sie würden sich sorgen.

Und so war es auch. Seine Mutter Hanna lief alle Tage aus der Stadt und schaute von einem Hügel hinab auf die Straße, die ihr Sohn kommen mußte. Aber die Zeit verstrich, und er kam nicht. Die Eltern weinten und waren unglücklich. Einmal saß Hanna wieder auf dem Hügel und hielt Ausschau. Sie sah von ferne ihren Sohn nahen. Rasch lief sie zu ihrem Mann und brachte ihm die frohe Botschaft, und da sprang dem alten Mann auch schon ein zweiter Bote entgegen, nämlich das kleine Hündlein. Vater und Sohn schlossen einander in die Arme und weinten vor Freude. Der junge Tobias salbte, so wie es ihm sein Gefährte geraten hatte, mit der Galle des Fisches die Augen des Blinden. Da löste sich der Star von den Augen wie das Häutlein von einem Ei, und der alte Tobias vermochte wieder zu sehen. Nach sieben Tagen kam auch Sara mit einer langen Karawane voller Reichtümer. So hatte alles ein gutes Ende genommen. Vater und Sohn beredeten sich miteinander und beschlossen, dem Reisegefährten als Lohn die Hälfte all ihrer Habe zu geben. Aber der Reisegefährte wehrte ab und sprach: «Ich bin Raffael, einer von den sieben Erzengeln, die vor dem Herrn stehen.» Als Vater und Sohn dies hörten, erschraken sie und fielen zitternd zur Erde. Der Engel aber segnete sie, verschwand vor ihren Augen, und sie konnten ihn nicht mehr sehen. Vater und Sohn lebten noch viele Jahre und priesen Gott.

DIE SIEBEN SÖHNE DER WITWE

Nach dem raschen Zerfall des Weltreiches von Alexander dem Großen herrschte in Syrien der Diadoche Antiochus, der Palästina und Jerusalem besetzte, den Tempel plünderte und alles goldene Gerät mit sich fortführte. Auch den Goldüberzug ließ er von den Wänden reißen, selbst den farbigen Vorhang in Weiß und Purpur, in Hyazinthenfarben und Scharlach. Die Gesetzesbücher ließ er aufspüren und verbrennen. Aber nicht genug damit, daß er den Juden alles fortnahm, was ihnen wert und teuer war, er versetzte sie auch in Angst und Schrecken und versuchte, sie überall zu demütigen. Seine Willkür kannte keine Grenzen. Er trat alles mit den Füßen. Die Juden sollten den gleichen Göttern opfern wie die Heiden, sollten ihnen Speiseopfer darbringen und selbst Unreines, vor allem Schweinefleisch, essen. Den Sabbat, den von Gott eingesetzten Ruhetag, sollten sie zum Werktag machen. Viele, nicht alle aus dem Volk Israel blieben standhaft und ließen sich lieber töten, denn sie wollten sich nicht verunreinigen und hielten sich an das Gesetz.

DAS OGHAM-BUCH DER LEGENDEN

1995, 320 Seiten, zweifarbig, mit Initialen und Schmuckvignetten von Gerda Sandkühler, gebunden, ISBN 3-7235-0920-7

DAS OGHAM-BUCH DER LEGENDEN

ist der erste Band der neuen Reihe, mit der versucht werden soll, allgemein interessierende Themen aus dem Unterricht der Waldorfschulen aufzugreifen und sie einem weiten Publikum zugänglich zu machen. Alle, denen die gesunde und schöpferische Ausbildung der Phantasie ihrer Kinder am Herzen liegt, finden hier reichhaltigen und anregenden Stoff.

Das Buch ist so aufgebaut, daß im Ergebnis eine umfassende Weltkunde entstanden ist – eine Weltkunde allerdings, die sich mehr in der Sphäre des Bildhaften entfaltet. Die Leserinnen und Leser, ob groß oder klein, werden von der Weltschöpfung über die Pflanzenwelt, die Welt der Tiere und der Edelsteine bis hin zu Gestalten und Begebenheiten im Jahreskreis geführt, abschließend dann zu einigen Legenden, die zusammenfassend den Reigen abrunden.

OGHAM VERLAG

Da lebte auch eine jüdische Mutter, eine Witwe, mit ihren sieben Söhnen. Die ließ Antiochus vor sich führen und befahl den Brüdern, Schweinefleisch zu essen. Aber die weigerten sich, denn sie gehorchten nur dem Gesetz. Denn durch das Gesetz sollte das Volk Israel rein erhalten bleiben. Es war dazu auserwählt von Gott, den Messias, den Sohn Gottes in sich aufzunehmen. Das konnte nur geschehen, wenn das Volk Israel reiner war wie Schnee, und das konnte nur geschehen, wenn das Gesetz befolgt wurde. Antiochus ließ die sieben Söhne nun, beim ältesten anfangend, auf das grausamste foltern. Einer nach dem andern wurde getötet. Schließlich versprach Antiochus dem letzten und jüngsten alle Reichtümer, wenn er nur etwas Schweinefleisch essen würde. Aber auch der letzte und jüngste der Brüder wies das Unreine von sich und wurde auf grausamste Art getötet. Ebenso geschah es mit der Mutter.

DER KAMPF DER MAKKABÄER

In dieser Zeit der Verfolgung der Juden lebte in Juda, im Orte Modai westlich von Jerusalem, der Priester Mattathias mit seinen fünf Söhnen. Zu ihm kamen die Abgesandten des Antiochus und sprachen: «Schwöre von deinem Gott ab und bete unsere Götter an! Die anderen Juden werden dir dann folgen, denn du bist ihr Oberhaupt. Dann sollen dir Gold und Silber aus der königlichen Schatzkammer zuteil werden.» Dies Ansinnen lehnte Mattathias ab, und es kam nun zum offenen Kampf. Die fünf Söhne erhielten den Beinamen Makkabäer, das heißt die Hämmerer, denn sie kämpften unermüdlich und siegreich gegen ihre Feinde. Sie schlossen später ein Bündnis mit den Römern, die zu dieser Zeit begannen, siegreich in Asien vorzudringen. Das Volk Israel verehrte die fünf makkabäischen Brüder, die alle im Kampf fielen, und die sieben Brüder, die den Blutzeugentod erlitten hatten. Ihnen allen wurden Gedenkstätten errichtet. Sie alle galten als die Wegbereiter des Messias.